director de la colección: **Eduard Sancho**
autores: **Begoña Martínez, Mark D C McKinnon, Almudena Sáiz
García, Shawn Volesky**
redacción: **Eulàlia Mata Burgarolas, Eduard Sancho,
Carolina Fernández**
corrección: **Alba Vilches**
diseño: **La japonesa**
ilustraciones: **Sergi Padró**
agradecimientos: **Yannick Garcia**

© Difusión, Centro de Investigación y Publicaciones de Idiomas, S.L.,
Barcelona, 2011

ISBN: 978-84-8443-771-0
depósito legal: B-564-2011
impreso en España por Novoprint

C/ Trafalgar, 10, entlo. 1ª
08010 Barcelona
Tel. (+34) 93 268 03 00
Fax (+34) 93 310 33 40
editorial@difusion.com

www.difusion.com

Word up! 2 es el segundo volumen de nuestro diccionario de argot bilingüe inglés-español español-inglés **Word up!** Tras el éxito del primer volumen, nos hemos animado a publicar esta segunda entrega en la que encontrarás palabras, locuciones y expresiones nuevas del inglés popular, tanto británico como estadounidense, extraídas de fuentes reales: series de televisión, canciones, chats, películas y, por supuesto, de la calle.

Word up! 2 sigue la línea marcada por su predecesor en el sentido de que pretende que el lector no solo aprenda el inglés que no se enseña en las clases de lengua ni aparece en los diccionarios convencionales sino que también se divierta y disfrute consultando el libro. En este sentido, la selección de las entradas, los ejemplos y el diseño del libro juegan un papel fundamental.

Por su estructura bidireccional, **Word up! 2** es ideal también para todos los hablantes de inglés que quieran acercarse al español auténtico que se utiliza hoy en día.

Have fun!

La editorial

Abreviaturas

Abbreviations

abreviación	*abrev./abbrev.*	abbreviation
acrónimo	*acrón./acr.*	acronym
adjetivo	*adj.*	adjective
inglés americano	USA	American English
inglés británico	UK	British
adverbio	*adv.*	adverb
expresión	*expr.*	expression
femenino	*f.*	feminine
eufemismo	*euf./euph.*	euphemism
interjección	*interj.*	interjection
interrogación	*interrog.*	interrogative
invariable	*inv./invar.*	invariable
irónico	*irón./iron.*	ironic
italiano	*it./It.*	Italian
locución	*loc./expr.*	expression
masculino	*m.*	masculine
nombre	*n.*	noun
plural	*pl.*	plural
pronominal	*prnl.*	pronominal
sufijo	*suf./suff.*	suffix
verbo	*v.*	verb
vulgar	*vulg./vul.*	vulgar

ENGLISH-ESPAÑOL

CLASS NERD: I'LL WRITE YOUR HISTORY PAPER IF YOU MAKE OUT WITH ME // HEAD CHEERLEADER: AS IF! • EMPOLLÓN DE LA CLASE: TE HAGO EL TRABAJO DE HISTORIA SI TE ENROLLAS CONMIGO // JEFA DE LAS ANIMADORAS: ¡VA A SER QUE NO!

absobloodylutely [UK], absofuckinglutely *adv.*

¡DESCARADO!, ¡POR SUPUESTÍSIMO!

—*Lindsay: Up for a beer?* // *Kyle:* **Absobloodylutely!** • *Lindsay: ¿Hace una cerveza?* // *Kyle: ¡Descarado!*

action man *n.*

MACHITO

—*Hey,* **action man!** *Want some?* • *¡Eh, tú, machito! ¿Quieres guerra?*

AFK *acrón.*
(away from the keyboard)

Se usa para indicar que vas a estar un rato ausente en un chat.

—*In a chat room: Hey, I'm gonna go* **afk** *for a few.* • *En un chat: Eh, vuelvo dntro de 1 rato.*

aggro [UK] *n.*

LÍO, BRONCA, FOLLÓN

—*Let's hit the door. There's gonna be some real* **aggro** *here by the looks of it.* • *Nos abrimos. Tiene pinta de que aquí habrá lío.*

air guitar *n., v.*

Actividad que consiste en tocar la guitarra sin guitarra.

—*Is there anything more cheesy than going to a concert and* **air-guitarring** *along to the music?* • *¿Hay algo más cutre que hacer "air-guitar" en un concierto?*

all fur coat and no knickers [UK] *loc.*

Se refiere a esas mujeres que van de elegantes pero que en realidad son ligeritas de cascos y chabacanas.

—*Don't be fooled by her airs. She's* **all fur coat and no knickers**. • *Que no te engañe su aspecto. Es una pilingui.*

all mouth and no trousers [UK] *loc.*
BOCAS, BOCAZAS

—*Johnson: This time's for real. I'm gonna tell him to shove his job up his arse.* // *Wilson: Johnson, you're* **all mouth and no trousers.** • *Johnson: Esta vez va en serio. Le diré que se meta el trabajo por el culo.* // *Wilson: Johnson, eres un bocas.*

all over the shop [UK] *loc.*
1 ACELERADO/A, ESPITOSO/A

—*What's wrong with you, Johnson? You're* **all over the shop.** *You need to stop, take a deep breath and focus on what you're doing.* • *¿Qué te pasa, Johnson? Vas muy acelerao. Para un momento, respira hondo y concéntrate en lo que estás haciendo.*

2 CAOS, CAÓTICO/A

—*This website is horrible. It's* **all over the shop.** *You can't find anything in here.* • *Esta web es fatal. Es un caos. Es imposible encontrar nada.*

3 POR TODAS PARTES

—*Who has been rooting through my CDs? They're* **all over the shop.** • *¿Quién ha estado hurgando en mis CD? Están desperdigados por todas partes.*

En inglés americano se dice **all over the map.**

alright! *expr.*
¿QUÉ PASA, TÍO?, ¿QUÉ HAY?

—*Pete: Wassup!* // *Lee:* **Alright!** • *Pete: ¿Qué hay?* // *Lee: ¿Qué pasa, tío?*

amber nectar *n.*
BIRRA

—*Pete: Feel like going down for a bit of* **amber nectar?** // *Lee: No, I'm skint.* • *Pete: ¿Bajamos a tomar unas birras?* // *Lee: No, que estoy tieso.*

and whatnot *expr.*
Y YO QUÉ SÉ QUÉ MÁS

—*You were out for a while.* // *Yeah, I met up with friends and got coffee, a few beers* **and whatnot.** • *Has estado fuera un buen rato.* // *Sí, es que he quedado con unos amigos y nos hemos tomado un café, unas birras y yo qué sé qué más.*

any cop? (be) [UK] *expr.*
ESTAR GUAY, ESTAR BIEN

—*Have you heard John's band?* **Is** *their new CD* **any cop?** • *¿Has oído el grupo de John? ¿Está guay el nuevo CD?*

apeshit (go) *loc.*
CABREARSE, ENCABRONARSE

—*Your mom's gonna* **go apeshit** *when she finds out.* • *Tu madre se va a cabrear cuando se entere.*

arse about, arse around [UK] v.

TOCARSE LOS HUEVOS

—Oi, Johnson! Stop **arsing about** and get that finished. • ¡Eh, Johnson, deja de tocarte los huevos y termina esto de una vez!

arse about face [UK] loc.

COMO EL CULO, DE PUTA PENA

—Wife: Are you sure that's right? Looks a bit **arse about face** to me. // Husband: Well, I read the instructions. I just did what it said! OK? • Mujer: ¿Seguro que está bien? A mí me parece que queda como el culo. // Marido: A ver, me he leído las instrucciones y he hecho lo que pone, ¿vale?

TAMBIÉN SE DICE ARSE ABOUT TIT

arsed (can't be) [UK] loc.

ME DA PALO, PASO

—Pete: Going out tonight, chief? // Lee: Nah! **Can't be arsed**. • Pete: ¿Salimos esta noche, jefe? // Lee: ¡No! Paso.

arseholed [UK] adj.

TAJA, PEDO, CIEGO/A

—Julian: Oh, man, I was **arseholed** last night. // Graham: But you only had two drinks! • Julian:

Jo, tío, qué taja iba anoche. // Graham: ¡Pero si solo te tomaste dos copas!

arse over tit [UK] expr.

CAERSE DE CULO

—Dave: So, anyway. He walks up to this bird, right? And he falls **arse over tit** on the wet floor. // The lads: What an arsewipe! • Dave: Bueno, lo que os decía. Se está acercando a la piba, ¿vale?, y va y se cae de culo en el suelo mojado. // Los chicos: ¡Vaya gilipollas!

arse up [UK] v.

CAGARLA, JODERLA

—Sorry, guys. I know, I know. I **arsed** it **up** again. • Lo siento, tíos. Ya lo sé, ya lo sé. La he vuelto a cagar.

TAMBIÉN PUEDES DECIR FUCK UP, COCK UP, BALLS UP, BLOW IT, ETC.

arsey [UK] adj.

DE MALA HOSTIA, DE UN HUMOR DE PERROS, BORDE

—What's with her? She's a bit **arsey** today. • ¿Qué le pasa? Está un poco de mala hostia hoy.

arty-farty adj.

GAFAPASTA, CULTURETA

—I am not going out with your

arty-farty pals. • *Yo paso de salir con esos gafapastas amigos tuyos.*

as if! *interj.*

¡VA A SER QUE NO!, ¡NI DE COÑA!, ¡TÚ FLIPAS!

—*Class nerd: I'll write your history paper if you make out with me.* || *Cheerleader: **As if!*** • *Empollón de la clase: Te hago el trabajo de historia si te enrollas conmigo.* || *Animadoras: ¡Va a ser que no!*

as fuck *loc.*

DE COJONES, LA HOSTIA DE
Precedido de un adjetivo, funciona como intensificador.

—*Holy big house! He must be rich **as fuck**.* • *¡Vaya choza! Este debe de ser rico de cojones.*

askhole *n.*

Juego de palabras con el sustantivo **asshole** (gilipollas) y el verbo **to ask** para definir al pesado/o a la pesada de turno que pregunta estupideces.

—*Who's the **askhole**? Can't he shut up already?* • *¿Quién es el plasta de las preguntitas? ¡Que se calle ya!*

ass (out on one's) [USA] *loc.*

A LA PUTA CALLE

—*One more peep out of you and* *you'll be **out on your ass**.* • *A la que digas una sola palabra más, te echo a la puta calle.*

LA VERSIÓN BRITÁNICA ES **OUT ON ONE'S ARSE**

ATM *abrev.*
(at the moment)

AHORA MISMO

—*I'm kinda busy **ATM**.* • *Ahora mismo estoy bastante ocupada.*

attention whore *n.*

NOTAS

—*Oh, will you shut it! You're such an **attention whore**.* • *Uf, cierra el pico. Eres un notas de cuidado.*

'ave it [UK] *loc.*

PASARLO DE PUTA MADRE, PASARLO TETA

—*Donaghy: Good night?* || *Aspinall: Great, man. We were **'avin' it**.* • *Donaghy: ¿Qué tal la noche, bien?* || *Aspinall: Brutal, colega. ¡Lo pasamos de puta madre!*

axe *n.*

GUITARRA

—*Dad: What's that racket?* || *Son: Leave me alone. I'm trying to play the **axe** here.* • *Padre: ¿Qué es este follón?* || *Hijo: Déjame en paz. Estoy intentando tocar la guitarra.*

B4N *acrón.*
(bye for now)
TA LUEGO

—SMS: **B4N**, I'll CU@the game. • SMS: Ta luego, t veo n l partido.

> A veces también se escribe **BFN**.

babe magnet *n.*
IMÁN PARA LAS TÍAS

—Man, that car's a **babe magnet**! • ¡Tío, ese coche es un imán para las tías!

back in the day *loc.*
Se usa para referirse a una época pasada que se recuerda con alegría.

—**Back in the day**, we lived in a big house in Vermont. • En los buenos tiempos, vivíamos en una casa enorme en Vermont.

backhander [UK] *n.*
SOBORNO, PAGO BAJO CUERDA

—How did you manage to get him to do that? // I gave him a **backhander**. • ¿Cómo conseguiste que lo hiciera? // Lo soborné.

backie (give a) [UK] *loc.*
LLEVAR DE PAQUETE

—**Give** me **a backie** on your bike, will you? • ¿Me llevas de paquete en la bici?

badger *v.*
DAR EL COÑAZO, DAR LA LATA, PEGAR LA PLASTA, DAR LA PALIZA

—Stop **badgering** me. • Deja ya de darme el coñazo.

bad-mouth *v.*
RAJAR, PONER VERDE, PONER A PARIR, PONER DE VUELTA Y MEDIA, PONER A CALDO

—Hey, asswipe! Have you been **bad-mouthing** me again? • ¡Eh, gilipollas! ¿Ya has estado rajando de mí otra vez?

bag (old) *n.*
BRUJA, MALA PUTA

—I'll never speak to you again, you **old bag**. • No pienso volver a dirigirte la palabra, bruja.

bag of shit *n.*

MIERDA

—*Get out of my life. You're nothing but a bag of shit.* • *No quiero volver a verte más. Eres un mierda.*

También puede aplicarse a cosas para expresar menosprecio.

bag of wank [UK] *n.*

1 UN TRUÑO, UN BODRIO

—*That movie is just a bag of wank.* • *La peli esa es un truño que no veas.*

2 GILIPOLLAS

—*That Johnson is a bag of wank.* // *Tell me about it.* • *Ese tal Johnson es un gilipollas.* // *Ni que lo digas.*

baldie *n.*

CALVITO, CALVOROTA, KOJAK

—*I actually like baldies. They're kinda sexy.* • *La verdad es que me gustan los calvitos. Son sexys, en cierto modo.*

ball bag *n.*

1 HUEVOS, PELOTAS

—*She kicked him right in the ball bag.* • *Le dio una patada en todos los huevos.*

2 GILIPOLLAS

—*Frig off, you ball bag!* • *¡Vete a la mierda, gilipollas!*

bampot [UK] *n.*

PIRADO/A, CHALADO/A

—*Be careful with him. He's a bampot.* • *Vigila con este. Está pirado.*

bang on *adj., adv.*

PERFECTO, EXACTO

—*Oh, man. That's just bang on.* • *Ostras, tío. Ahí le has dado.*

TAMBIÉN SE DICE
SPOT ON

bang on about *loc.*

HABLAR DE ALGO SIN PARAR

—*You won't finish your homework by banging on about it. Go do it!* • *¡Y dale con los dichosos deberes! Mejor ponte ya, porque solos no se van a hacer.*

bang one out *loc.*

DARLE AL MANUBRIO, HACERSE UNA PAJA

—*I'm just going to my room to bang one out.* • *Me voy a mi cuarto a darle al manubrio.*

bang out of order *loc.*

PASARSE TRES PUEBLOS

—*He told me that I'm phony.* // *That's bang out of order!* • *Me dijo que soy un falso.* // *¡Se ha pasado tres pueblos!*

UN SINÓNIMO ES
OUT OF LINE

baps [UK] *n. pl.*
PERAS, TETAS, LOLAS
—*Look at the **baps** on that.* • *Mira qué peras tiene esa.*

bar steward *n., euf.*
CABRÓN
Bar steward (camarero) suena bastante parecido **a bastard**. Es, por tanto, un juego de palabras.
—*Frig off, you **bar steward**!* • *¡Que te den, cabrón!*

bash the bishop [UK] *loc.*
MENEÁRSELA
—*Mum: Where's our eldest? || Dad: Probably in the bathroom **bashing the bishop**.* • *Madre: ¿Dónde está el mayor? || Padre: Probablemente en el baño meneándosela.*

basket case *n.*
CASO PERDIDO, CHALADO/A, LOCO/A
—*She was an utter **basket case** the day of her son's wedding.* • *Se comportó como una auténtica chalada el día de la boda de su hijo.*

bastarding [UK] *adj., adv.*
PUTO/A
—*Where's that **bastarding** watchamacallit?* • *¿Dónde está el puto trasto ese?*

beans (the) *n.*
LA PASTA, LA GUITA
—*Got **the beans**?* • *¿Tienes la pasta?*

beard *n.*
1 EL BARBAS (vello púbico femenino)
—*You're scared of the **beard**, ain't ya?* • *No te mola el barbas, ¿o qué?*

2 Se llama así a la mujer que acompaña a menudo a un gay para que la gente, los amigos y la familia piensen que son pareja.
—*He's from a small town, so whenever he goes home, she comes along as his **beard**.* • *Es de un pueblo pequeño y cuando va a casa, lo acompaña una chica para disimular.*

beat *adj.*
DESTROZADO/A, HECHO/A MIERDA, HECHO/A POLVO
—*Feel like one last drink? || Nah, I'm going to turn in now. I'm **beat**.* • *¿Hacemos la última? || No, me voy a dormir. Estoy destrozado.*

beddable *adj.*
QUE TIENE UN POLVO
—*Wilson: Seen the new bird in accounts? || Johnson: Really **beddable**!* • *Wilson: ¿Has visto a la nueva de contabilidad? || Johnson: ¡Tiene un polvazo!*

beef [USA] n.
PROBLEMA, PIQUE, MOVIDA

—*What's your **beef** with me?* •
¿Qué problema tienes conmigo?

beer me loc.
1 DAME UNA BIRRA,
TRÁEME UNA BIRRA

—*Mike, you're closest to the fridge,
fucking **beer me** bro.* • *Mike,
dame una puta birra, tío. Tú estás
más cerca de la nevera.*

2 PÁSAME, PÍLLAME

—*Mike! **Beer me** the ruler, please.*
• *¡Mike! Acércame la regla, porfa.*

beer tits n.
TETAS CERVECERAS (en hombres)

—*Hey, are those **beer tits** I see?* •
Eh, ¿eso que veo son tetas cerveceras?

beer under
the bridge loc.
Versión irónica de la expresión
water under the bridge. Se
suele usar para olvidar tonterías
que se han dicho o hecho mien-
tras uno está bebido. Se podría
traducir como "lo bebido, bebido
está" o "chupitos a la mar".

belter n.
UNA PASADA, LO MÁS

—*Oh, man! That's a real **belter**.*
• *Joder, tío, eso es una pasada.*

belt up! [UK] interj.
¡CÁLLATE LA BOCA!

—*Hey, big mouth! **Belt up!*** • *¡Tú,
bocazas, cállate la boca!*

bend
someone's ear loc.
COMER LA OREJA, RAYAR

—*My wife was **bending my
ear** last night about my drinking.* •
*Anoche mi mujer me estuvo comien-
do la oreja sobre lo que bebo.*

better than a kick
in the balls expr.
ALGO ES ALGO, MEJOR QUE
UNA PATADA EN LOS COJONES

—*Andy: How much you get for
the car, then? // Amanda: 2 000.
// Andy: **Better than a kick in
the balls**, innit?* • *Andy: Así pues,
¿cuánto te dan por el coche? //
Amanda: 2 000. // Andy: Algo es
algo, ¿no?*

big cheese
(the) [UK] n.
EL BOSS, EL/LA JEFAZO/A

—*Respect! He's **the big cheese**.*
• *¡Un respeto! Es el boss.*

big girl's blouse n.
NENAZA

—*Stop crying, you **big girl's
blouse**.* • *No llores más, nenaza.*

Billy no mates [UK] *n.*

AUTISTA, PERSONA QUE NO
TIENE AMIGOS

—*Hey, look at **Billy no mates**
over there.* • *Mira, ahí está el
autista ese.*

bit on the side *n.*

ROLLO, ROLLITO, LÍO

—*Barman: So, what happened?
// Drunkard: I had a **bit on the
side**. She found out. // Barman:
Another whisky? // Drunkard:
Fucking A!* • *Camarero: ¿Qué ha
pasado? // Borracho: He tenido un
rollo y se ha enterado. // Camarero:
¿Otro whisky? // Borracho: ¡De
puta madre!*

bits (in) [UK] *adj.*

DESTROZADO/A, HECHO/A
POLVO, MUY AFECTADO/A

—*She was **in bits** when the
new finally sunk in. When I talked
to her, she could hardly string
two words together.* • *Se quedó
destrozada cuando se enteró de la
noticia. Cuando hablé con ella,
apenas podía articular palabra.*

blag [UK] *v.*

1 CONSEGUIR ALGO CON
CAMELOS, CURRÁRSELO

—*I **blagged** a day off for tomor-
row.* • *Me lo he tenido que currar,
pero mañana tengo fiesta.*

2 MANGAR, CHORIZAR

—*Where did you get that? //
I **blagged** it.* • *¿De dónde has
sacado eso? // Lo he mangado.*

blank *v.*

PASAR DE ALGUIEN, SUDAR

—*I saw Martha this morning,
and she completely **blanked** me.*
• *Esta mañana he visto a Martha
y ha pasado de mí totalmente.*

blithering *adj., adv.*

PUTO/A

—*What's that **blithering** idiot
babbling on about?* • *¿Qué coño
está diciendo ese puto idiota?*

blower [UK] *n.*

TELÉFONO

—*Hey, it's your mum on the
blower.* • *Eh, tienes a tu madre al
teléfono.*

blunt *n.*

Un **blunt** es un porro que se hace
rellenando una hoja de tabaco
con marihuana.

—*"I smoke **blunt** to take the
pain out / and if I wasn't high /
I'd probably blow my brains out"
(Tupac Shakur).* • *"Fumo porros
para liberarme del dolor / y si no me
colocara / seguramente me pegaría
un tiro" (Tupac Shakur).*

boffin [UK] *n.*

COCO, CEREBRITO

—*You'll never believe what the* **boffins** *have come up with now.* • *No te vas a creer lo que acaban de inventar ahora los cocos.*

botch job *n.*

CHAPUZA

—*The builders did a real* **botch job** *on this building. The roof leaks every time it rains.* • *Menuda chapuza hicieron los albañiles en este edificio. Cada vez que llueve hay goteras.*

botch up *v.*

HACER UNA CHAPUZA

—*Hey, cowboy! You* **botched** *that* **up**! • *¡Eh, tío, menuda chapuza has hecho!*

bottle it *loc.*

RAJARSE, JIÑARSE, CAGARSE

—*Wilson: Did you tell the boss?* // *Johnson: Fuck no. I* **bottled it**. • *Wilson: ¿Se lo has dicho al jefe?* // *Johnson: ¡Qué va! Me he rajao.*

bottom burp *n.*

PEDO

—*Oops! Sorry, just a* **bottom burp**. • *¡Uy! Lo siento, se me ha escapado un pedo.*

brag *v.*

FANTASMEAR, FARDAR

—*Edward: I earn 60 K a year, mate.* // *Mark: There you go,* **bragging** *again!* • *Edward: Gano 60 000 libras al año, tío.* // *Mark: ¡Ya estás fardando otra vez!*

break one's balls *loc.*

1 TOCAR LOS COJONES, CACHONDEARSE DE ALGUIEN

—*Give me a break! You're* **breaking my balls**! • *¡Déjame en paz! ¡Me estás tocando los cojones!*

2 DEJARSE LA PIEL, CURRAR COMO UN/A DESGRACIADO/A

—*I've been* **breaking my balls** *all day on this project, and I've still got nothing to show for it.* • *Llevo todo el día currando como una desgraciada en este proyecto y no me ha cundido nada.*

brickberry *n.*

LADRILLO, ZAPATÓFONO

—*Shit, man. What are you doing with that* **brickberry**? *Didn't you have an iPhone?* • *Joder, colega, ¿adónde vas con ese ladrillo? ¿Tú no tenías un iPhone?*

bromance *n.*

AMIGUITO DEL ALMA,
NOVIETE (*irón.*)

Esta palabra sirve para referirse a
una amistad muy estrecha entre
dos hombres heterosexuales.

—*What, you're here all alone?
Where's your **bromance**?* • *Vaya,
¿estás solo? ¿Dónde está tu amigui-
to del alma?*

bros before hos [USA] *expr.*

LOS COLEGAS SIEMPRE ANTES
QUE LAS CHURRIS

—*Me and the guys are going out
after the game. You in?* ǁ *I want
to, dude, but I'm supposed to meet
my girlfriend.* ǁ ***Bros before hos,**
man.* • *Los chicos y yo vamos
a salir después del partido. ¿Te
apuntas?* ǁ *Ya me gustaría, tío,
pero en teoría he quedado con la
novia.* ǁ *Los colegas siempre antes
que las churris, chaval.*

brownie point *n.*

PUNTOS

—*Wilson: Overtime again?* ǁ *John-
son: **Brownie points**, Wilson.* •
*Wilson: ¿Haciendo horas extras
otra vez?* ǁ *Johnson: Hay que hacer
puntos, Wilson.*

brownnoser *n.*

LAMECULOS

—*He's a total **brownnoser**, but he
does fuck all when the boss is out.*

• *Es un lameculos integral, pero
cuando el jefe no está, no pega ni
chapa.*

BROWNNOSER DERIVA
DIRECTAMENTE DE LA
EXPRESIÓN TO KISS ASS.
TE IMAGINAS POR QUÉ, ¿NO?

buff (in the) *loc.*

EN BOLAS, EN PELOTAS

—*As a prank, the cheerleaders
raided the locker room after the
game and walked in on the whole
football team **in the buff**.* •
*En plan broma, las animadoras
asaltaron el vestuario después del
partido y entraron cuando todo el
equipo estaba en bolas.*

bullshit *adj., n.*

CHORRADA, GILIPOLLEZ

—*So, how was your date? Did you
do the nasty?* ǁ *No, he gave me
some **bullshit** excuse about being
allergic to condoms.* • *¿Qué tal la
cita? ¿Mojaste?* ǁ *Qué va, me dijo
que era alérgica a los condones.
Una chorrada de excusa.*

burn rubber *loc.*

CAGANDO LECHES

—*Girl: You're late.* ǁ *Boy: Sorry.
I had to **burn rubber** to get here!*
• *Chica: Llegas tarde.* ǁ *Chico: Lo
siento. ¡He tenido que salir cagando
leches para llegar aquí!*

bush *n.*
PELAMBRERA (vello púbico femenino)

—Lads: Yo! **Bush!** 12 o'clock!
• Chicos: ¡Eh! ¡Pelambrera justo enfrente!

butch
1 *n.* CAMIONERA

—Anna's new girlfriend's a real **butch**. • La nueva novia de Anna es una camionera.

2 *adj.* BOLLERA, BOLLO, TORTILLERA

—Any **butch** bars around here? // Fucked if I know. • ¿Hay algún bar de bolleras por aquí? // ¡Y yo qué coño sé!

3 *adj.* MACHO, MASCULINO, VIRIL

—John is really **butch**. • John es muy macho.

butt ugly *adj.*
CALLO, CARDO

—Bit of alright? She's **butt ugly**, man! • ¿Que no está mal? ¡Es un callo, tío!

A minger, a dog, a fugly bird/bloke son otras maneras de referirse a un callo malayo.

buy the farm *loc.*
PALMARLA, IRSE AL OTRO BARRIO, ESTIRAR LA PATA

—My uncle Tom **bought the farm** back in '86. // Oh, I'm sorry to hear that. • Mi tío Tom se fue al otro barrio en el 86. // Oh, lo siento muchísimo.

buzz
1 *n.* TOQUE

—Hey Mike, gimme a **buzz** later, alright? • Eh, Mike, dame un toque luego, ¿vale?

2 *v.* DAR UN TOQUE

—**Buzz** me before 11 if you can, and I'll tell you the news about Lindsay and Sofía • Dame un toque antes de las 11 si puedes y te cuento lo de Ainhoa y Paco.

3 get a buzz *loc.*
MOLAR, FLIPAR

—I **get a** real **buzz** out of this, you know. // Well, it doesn't do anything for me. • Cómo me mola esto, tío. // Pues a mí no me dice nada.

4 *v.* IR CON EL PUNTILLO, IR TAJILLA

—Just two bottles of beer and I'm already **buzzing**. // Shit, man, you're a wuss. • Dos cervezas y ya voy con el puntillo. // Joder, tío, estás hecho una nenaza.

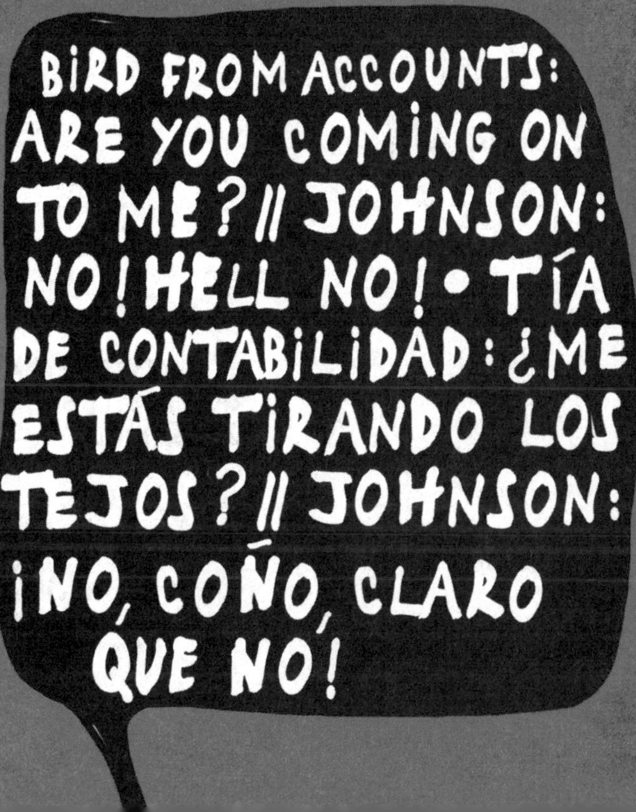
BIRD FROM ACCOUNTS: ARE YOU COMING ON TO ME? // JOHNSON: NO! HELL NO! • TÍA DE CONTABILIDAD: ¿ME ESTÁS TIRANDO LOS TEJOS? // JOHNSON: ¡NO, COÑO, CLARO QUE NO!

cack oneself [UK] *v. prnl.*

CAGARSE, JIÑARSE

—*Scared? I was **cacking myself**, mate.* • *¿Que si tenía miedo? Estaba cagado, colega.*

cahoots with (in) *loc.*

COMPINCHADO/A CON

—*I thought she was on our side, and there she was, **in cahoots with** the others the whole time.* • *Yo creía que estaba de nuestra parte, y ya ves, estaba compinchada con los otros.*

cake hole *n.*

PICO

—*Shut your **cake hole**!* • *¡Cierra el pico!*

carcolepsy *n.*

Necesidad incontrolable de dormirte en cuanto un coche se pone en marcha, de forma que ni haces compañía ni ayudas al conductor en nada.

—*Richard suffers from the most extreme case of **carcolepsy** I've ever seen. No sooner do we pull out of the driveway, he's out like a light.* • *Richard es el copiloto más dormilón que conozco. Es salir del garaje y ponerse a roncar.*

carpet-munch *v.*

BAJAR AL POZO, COMER LA ALMEJA

—*They say diamonds are a way to a girl's heart, but knowing how to **carpet-munch** goes a long way too.* • *Dicen que con diamantes puedes conquistar el corazón de una chica, pero bajar bien al pozo también ayuda mucho.*

LOS EUFEMISMOS PARA LA PRÁCTICA DEL CUNNILINGUS SON INFINITOS: TO MUFF-DIVE, TO EAT OUT, TO GO DOWN ON, TO GIVE ORAL, TO EAT THE BEAVER, TO LICK THE CAT, TO GO DOWNTOWN, ETC. ¡ESCOGE EL QUE MÁS TE GUSTE!

catch some Zs *loc.*

PLANCHAR LA OREJA, SOBAR

—*I'm gonna hit the sack and* **catch some Zs**. • *Me voy al sobre a planchar la oreja un rato.*

Charlie

1 *n.* FARLA, FARLOPA, COCA

—*Got any* **Charlie**? • *¿Tienes farla?*

2 *adj.* CORTO/A

—*You're a proper* **Charlie**, *ain't ya?* • *¿Tú eres corto o qué?*

cheap as chips [UK] *loc. adj.*

TIRADO/A (DE PRECIO), REGALADO/A

—*Go down the Chinese shop. It's* **cheap as chips** *down there.* • *Ve a los chinos. Está todo tirado de precio.*

chebs *n.*

TETAS, PERAS, LOLAS

—*Wilson: Have you seen the* **chebs** *on that new bird in accounts?* || *Johnson: Lovely jubblies.* • *Wilson: ¿Has visto qué tetas tiene la nueva de contabilidad?* || *Johnson: Sí, menudas peras.*

cheese *n.*

PASTA, GUITA

—*In the end, everything we do in life has just one purpose: bringing in the* **cheese**. || *Speak for yourself, bastard.* • *Al final, todo lo que hacemos en la vida tiene una única finalidad: ganar pasta.* || *Habla por ti, capullo.*

cheesy *adj.*

CURSI, HORTERA

—*This place is so* **cheesy**. *We're outta here.* • *Este sitio es super hortera. Nos las piramos.*

chew the fat *loc.*

ESTAR DE CHÁCHARA, ESTAR DE PALIQUE

—*She came over to mine, and we* **chewed the fat** *till the wee hours.* • *Vino a casa y estuvimos de cháchara hasta las tantas de la madrugada.*

chib *v.*

APUÑALAR, RAJAR

—*Dave got* **chibbed** *down the pub last night.* || *Yeah, I heard. That's some heavy shit.* • *Anoche apuñalaron a Dave en el pub.* || *Ya me he enterado. ¡Qué heavy!*

chin *v.*

PARTIRLE LA CARA A AL-GUIEN, PEGAR UNA HOSTIA

—*I'm gonna* **chin** *him if he doesn't shut up.* • *Si no se calla, le voy a partir la cara.*

chin wag [UK] *n.*
CHARLA, CONVERSACIÓN

—*We need some face time. Why don't you come over to mine for a **chin wag** sometime?* • *Tenemos que vernos. ¿Por qué no te pasas por mi casa algún día y charlamos?*

chippy [UK] *n., abrev.* (fish and chips)
Nombre coloquial con el que se designa la comida rápida tradicional británica: pescado rebozado con patatas fritas (aderezadas con sal y ¡vinagre!). No hace mucho aún la envolvían en papel de periódico (como se hace en España con las castañas) para evitar que se enfriase. Se pueden tomar en un montón de chiringuitos en cualquier pueblo o ciudad de la isla. Por cierto, en Irlanda en vez de **chippy** se dice **chipper**.

chops *n. pl.*
LOS MORROS

—*He smacked him right in the **chops**.* • *Le dio en todos los morros.*

clanger *n.*
CAGADA

—*Mentioning that in front of her mum was a real **clanger**.* • *Comentar eso delante de su madre fue una super cagada.*

clap eyes on *loc.*
ECHAR EL OJO

—*Sofia: Darling, the moment I **clapped eyes on** you I knew I had fallen in love.* || *Lindsay: Oh, you're so romantic, honey.* • *Sofia: Cielo, en el momento en que me fijé en ti, supe que me había enamorado.* || *Lindsay: Oh, qué romántica eres, cariño.*

clock [UK] *v.*
PILLAR

—*It's over! I've just **clocked** him in that other boozer with another bird.* • *¡Se acabó! Lo acabo de pillar en el otro pub con una tía.*

closet case *n.*
GAY QUE NO HA SALIDO (O NO QUIERE SALIR) DEL ARMARIO

—*I'm really into this guy from work, but he's a total **closet case** and doesn't want to be seen out in public with me.* • *Me mola mogollón un tío del trabajo, pero no ha salido del armario y no quiere que le vean conmigo.*

clusterfuck *n.*
UN PUTO CAOS

—*I'm sorry I couldn't get back to you sooner, but this project has been a real **clusterfuck**.* • *Siento no haber podido ponerme en contacto contigo antes, pero es que este proyecto ha sido un puto caos.*

En un principio, lo usaban los militares para referirse a situaciones en las que casi todo salía mal. La palabra establece una analogía muy vulgar con alguien a quien "lo follan por todas partes" varias personas (**cluster** significa "grupo" y **fuck**, "follada"). En fin...

come on to v.

TIRAR LOS TEJOS, TIRAR LA CAÑA, TIRAR LOS TRASTOS

—*Bird from accounts: Are you* ***coming on to*** *me? // Johnson: No! Hell no!* • *Tía de contabilidad: ¿Me estás tirando los tejos? // Johnson: ¡No, coño, claro que no!*

cooter n.

CHOCHO, CHIRRI

—*In an online forum: My* ***cooter*** *itches and smells kinda raunchy, but I ain't slept around 4 2 weeks. Help? // Go to school and learn to spell, then go to the doctor to get that mess looked at.* • *En un foro de internet: Me pica el xoxo y uele raro, pero ace 2 smnas q no mojo. ¿Alguien me puede ayudar? // Primero ve a la escuela y aprende a escribir, y después vete al médico a que le eche un vistazo.*

cop it loc.

CARGÁRSELAS, PRINGAR

—*Oh, no! I'm gonna* ***cop it*** *now.* • *¡Mierda! Ahora sí que me las voy a cargar.*

cop off with loc.

ENROLLARSE

—*I see Johnson* ***copped off with*** *that bird from accounts.* • *Veo que Johnson se ha enrollado con la tía esa de contabilidad.*

cougar n.

MADURITA

Mujer mayor de 40 años que busca relaciones íntimas con hombres mucho más jóvenes.

—*You gotta try a* ***cougar****, man. They know shit you never even dreamed of.* • *Tienes que probar con una madurita. Saben unas cosas que ni te imaginas.*

cowboy outfit n.

CHAPUZAS

—*Lee: That looks like a right botch up. // Pete: I got a* ***cowboy outfit*** *in to do it on the cheap.* • *Lee: Vaya chapuza te han hecho, ¿no? // Pete: Es que pillé a un chapuzas que me lo hizo baratito.*

cracking [UK] *adj., adv.*
DE PUTA MADRE

—*That's a **cracking** little flat you've got.* • *Ese pisito que tienes es de puta madre.*

crank up *v.*
DAR CAÑA, PETAR, SUBIR EL VOLUMEN

—***Crank** it **up**! I can't hear nothin'!* • *¡Dale caña, que no se oye!*

crawl *v.*
HACER LA PELOTA, ARRASTRARSE

—*Student: Miss, can I wipe the board for you? // Cool student: **Crawling** will get you nowhere, dumbass.* • *Alumno: Señorita, ¿quiere que le borre la pizarra? // Alumno guay: Hacer la pelota no te servirá de nada, tontolaba.*

cruising for a bruising *loc.*
GANARSE UNA HOSTIA

—*Shut it! You're **cruising for a bruising**.* • *¡Cállate! Que te vas a ganar una hostia.*

crusty *n.*
PERROFLAUTA

—*I'm out of here. Too many **crusties** in.* • *Yo me piro. Esto está lleno de perroflautas.*

culture vulture [UK] *n.*
CULTURETA, GAFAPASTA

—*Dave: Where are you going? // Martin: I'm going to an art gallery. // Dave: Well, **culture vulture**, I'm not. I'm going down the pub.* • *Dave: ¿Adónde vas? // Martin: A una galería de arte. // Dave: Pues yo no, cultureta. Me voy al pub.*

curtains for somebody *loc.*
ESTAR JODIDO/A, HABER PRINGADO

—*Gamer 1: Eat it! That's **curtains for you**. // Gamer 2: Pos.* • *Jugador 1: ¡Chúpate esa! Ya estás jodido. // Jugador 2: Cabrón.*

cushy number *n.*
CHOLLO

—*That's a **cushy number** you've got at head office.* • *En la central tienes un trabajo que es un chollo.*

cut the crap *expr.*
CORTA EL ROLLO, DÉJATE DE CHORRADAS

—***Cut the crap** and get to the point.* • *Corta el rollo y ve al grano.*

—*I normally hate **dick flicks** but I have to admit that "Resident Evil" rocks.* • *Normalmente no me gustan nada las pelis para tíos, pero hay que reconocer que "Resident Evil" mola bastante.*

diddy ride [UK] *n.*
CUBANA (práctica sexual)

—*Dave: Got a **diddy ride** last night. // The lads: You're so full of shit.* • *Dave: Ayer me hicieron una cubana. // Chicos: No te lo crees ni tú.*

dangly bits [UK] *n.*
HUEVOS, PELOTAS

—*Rugby player: Hey, be careful where you're kicking! You almost got me in my **dangly bits!*** • *Jugador de rugby: Eh, vigila dónde chutas. Casi me das en los huevos.*

DIKU *abrev.*
(do I know you?)
¿TE CONOZCO?

—*In a chat room: Hey, how r u? // **DIKU**?* • *En un chat: Hola, ¿qué tal? // ¿Te conozco?*

dead cert [UK] *loc.*
SÍ O SÍ, FIJO QUE, ESTAR CANTADO

—*We're **dead certs** to win the league this year.* • *Este año ganaremos la liga sí o sí.*

EN LOS ESTADOS UNIDOS ALGO SEGURO ES A DEAD CERT

dinosaur *n.*
ABUELO/A, MOMIA

—*The Who are making a come back!? I don't believe it. They're a bunch of **dinosaurs**.* • *¿¡Que vuelven The Who!? No me lo puedo creer. Pero si son una panda de abuelos.*

dip one's wick *loc.*
MOJAR EL CHURRO

—*The lads: **Dip your wick** last night, Dave? // Dave: Of course, I did!* • *Los chicos: Dave, ¿mojaste el churro ayer? // Dave: ¡Pues claro!*

dick flick *n.*
Una peli para tíos; normalmente con explosiones, persecuciones, buenorras, etc. Lo contrario de **chick flick**.

dipstick *n.*

GILIPOLLAS

—Ethan! You **dipstick**! • ¡Ethan, eres un gilipollas!

dis, diss *v., n.*
(disrespect)

RAJAR, CRITICAR, FALTAR AL RESPETO, INSULTAR

—Miley sucks because she **dissed** Rob Pattinson! • ¡Miley me cae fatal porque rajó de Rob Pattinson!

divvy [UK] *n.*

1 CAPULLO

—What are you doing, you **divvy**? • ¿Qué haces, capullo?

2 divvy up *v.*

REPARTIRSE

—Right, let's **divvy up** the stash: 60% for me and 40% for you. // Are you trying to pull a fast one on me? • Muy bien, vamos a repartirnos el alijo: 60% para mí y 40% para ti. //¿Tú me quieres timar o qué?

do a bunk [UK] *loc.*

DARSE EL PIRO, PIRARSE

—Ronnie Biggs **did a bunk** from jail. Now he says he's seen the light and sold his soul to punk. • Ronnie Biggs se dio el piro de la cárcel. Ahora dice que ha visto la luz y se ha entregado al punk.

do a runner *loc.*

LARGARSE

—Eddie: So, what did you do, then? // Brian: I **did a runner**. • Eddie: ¿Y qué hiciste, entonces? // Brian: Me largué.

do one! [UK] *interj.*

¡ESFÚMATE!, ¡PÍRATE!

—Hey, bonehead! **Do one**! • ¡Eh, imbécil! ¡Esfúmate!

dogsbody [UK] *n.*

ESCLAVO/A

—Get someone else to do it. I'm no **dogsbody**. • Búscate a otro que te lo haga. No soy tu esclavo.

En el argot inglés, el perro no es precisamente el mejor amigo del hombre. Una mujer poco atractiva sexualmente recibe el nombre de **dog**; una vida desastrosa es una **dog's life**, y el mal aliento puede llamarse **dog breath**. También tenemos **dog's breakfast** (algo muy malo) y **dog's chance** (ninguna posibilidad en absoluto). Y, por supuesto, nadie quiere acabar en **the doghouse** (en un buen lío). ¡Pobres perros británicos!

doll *n.*

1 NENA, CARI, GUAPA

—Hey, **doll**. I'll be home from work early tonight. Why don't you *get gussied up and let me take you out for dinner?* • *Hola, nena. Esta noche volveré pronto del trabajo. ¿Por qué no te pones elegante y te saco a cenar?*

2 ENCANTO, UN SOL

—*Thank you so much for helping me, Dave. You're such a doll!* • *Muchísimas gracias por ayudarme, Dave. ¡Eres un sol!*

3 doll up, doll oneself up, to get (all) dolled up *v.*
MAQUEARSE

—*Right, girls! Let's get dolled up and hit the town.* • *Muy bien, chicas. ¡A maquearnos y a comernos la ciudad!*

dong *n.*
RABO, CHORRA

—*Dave: I've got the biggest dong in this pub.* // *The lads: Dave, shut your cake hole!* • *Dave: Soy el que tiene el rabo más grande del pub.* // *Chicos: Dave, ¡cállate la boca!*

donkey *n.*
PAQUETE

—*Liverpool FC spent 900 K on that donkey.* • *El Liverpool se ha gastado 900 000 libras en ese paquete.*

doobie *n.*
PORRO, PETA

—*Pass the doobie, brother.* • *Que rule el porro, colega.*

doolally *adj.*
CHALADO/A, PIRADO/A

—*Jonathan's a bit doolally.* • *Jonathan está un poco chalado.*

dotcomrade *n.*
CIBERCOLEGA

Amigo de internet que nunca has visto en persona.

—*Between MySpace and Facebook, I've got 458 dotcomrades.* • *Entre MySpace y Facebook, tengo 458 cibercolegas.*

douchebag *n.*
GILIPOLLAS

—*Step away from the car, douchebag!* • *¡No te acerques al coche, gilipollas!*

A VECES TAMBIÉN SE USA LA VERSIÓN ABREVIADA DOUCHE. POR CIERTO, LA VERSIÓN FEMENINA DE DOUCHEBAG ES DOUCHEBAGUETTE

dout [UK] *n.*
COLILLA

—*Please stop throwing your douts out the window.* • *Por favor, deja de tirar las colillas por la ventana.*

down like a ton of bricks *loc.*

TIRAR POR LA BORDA

—*School gossip 1: Did you hear that Gwen got knocked up? ‖ School gossip 2: No way! Well, there goes her Miss Cheerleader title* **down like a ton of bricks**. • *Cotilla del insti 1: ¿Te has enterado de que a Gwen le han hecho un bombo? ‖ Cotilla del insti 2: ¡No me digas! Pues acaba de tirar por la borda su título de Miss Animadora.*

down the pan *loc.*

A LA MIERDA, A LA BASURA, AL GARETE

—*I can't believe it. Ten years of hard graft* **down the pan**. • *No me lo puedo creer. Diez años currando a saco a la mierda.*

Dr. Google *n.*

Así llaman a Google de forma irónica las personas que se autodiagnostican infinitas enfermedades consultando el famoso buscador.

—*Sharon: I've got this pain in my abdomen. ‖ Tracey: Shouldn't you see a doctor? ‖ Sharon: Nah! I'm gonna check with* **Dr. Google**. • *Sharon: Me duele el abdomen. ‖ Tracey: ¿No deberías ir al médico? ‖ Sharon: No. Miraré en Google.*

drip *n.*

MUERMO/A, PRINGADO/A

—*I'm glad Michael Rodman left. He's such a* **drip**. • *Qué bien que Michael Rodman se haya ido. Es tan muermo.*

dry spell *n.*

SEQUÍA, ABSTINENCIA (sexual)

—*After she broke up with her boyfriend, she went on a self-imposed* **dry spell**. • *Después de cortar con su novio, se auto-impuso una época de sequía.*

dumbass *n.*

CAPULLO, IDIOTA, CORTO MENTAL, TONTOLABA

—*Hey,* **dumbass**! *Get away from my PC!* • *¡Eh, capullo, no te acerques a mi PC!*

dunno *acrón.*
(I don't know)

NI IDEA, NO SÉ

—*Mark: What the hell was that? ‖ Edward:* **Dunno**. • *Mark: ¿Qué coño ha sido eso? ‖ Edward: Ni idea.*

dynamite *adj.*

DE PUTA MADRE, UNA PASADA

—*This car is* **dynamite**! • *¡Este coche está de puta madre!*

Un **earjacking** es como un **hijacking** (secuestro) de tus oídos. Casi cualquier persona o cosa puede tomar como rehén a tus oídos: un amigo quejica, una persona que habla de algo que no te interesa, un loco, una música horrorosa, etc.

ear-bashing *n.*

MEGABRONCA, BRONCOTE

—*I just don't get women. My girl-friend asks, "Do I look fat in this?" I give my honest opinion and what do I get? An* **ear-bashing**! || *No, no, no. Say "no"! You always gotta say "no"!* • *No entiendo a las mujeres. Mi novia me pregunta: "¿Se me ve gorda con esto?" Le doy mi sincera opinión y, ¿qué me llevo? ¡Una megabronca!* || *No tienes ni idea. Di "no". ¡Siempre hay que decir que no!*

earjack *v.*

TALADRAR, PEGAR LA PLASTA, PEGAR EL ROLLO

—*I called Johnson with a quick question and got* **earjacked** *for 20 minutes about his work troubles.* • *Llamé a Johnson para hacerle una pregunta rápida y me taladró durante 20 minutos sobre sus problemas de trabajo.*

early days (it's) [UK] *loc.*

QUEDA MUCHA TELA QUE CORTAR, NO ESTÁ TODO DICHO, FALTA MUCHO

—*At a football match: England are still down 2-1, but it's* **early days** *yet.* • *En un partido de fútbol: Inglaterra sigue perdiendo 2-1, pero aún queda mucha tela que cortar.*

early doors [UK] *adv.*

PRONTO, A PRIMERA HORA

—*Edward: Why, you're here early!* || *Mark: I thought I'd get in* **early doors** *and score the best table.* • *Edward: ¡Vaya, ya estás aquí!* || *Mark: He pensado que mejor llegar pronto y pillar la mejor mesa.*

earner (nice little) *loc.*

BUEN DINERITO

—*After fixing it up, our house was a* **nice little earner** *on the market.* • *Después de arreglar la casa, nos podíamos sacar un buen dinerito en el mercado.*

eighty-six *v.*

QUITAR, ELIMINAR

—*We ran out of cod, so I **eighty-sixed** it from the menu for today.* • *Nos hemos quedado sin bacalao, por eso lo he quitado del menú de hoy.*

A pesar de que no se conoce con certeza el origen de esta expresión, hay muchas teorías. Según una de ellas, en un restaurante de Nueva York, el número 86 de la carta era un filete muy popular que solía acabarse enseguida.

elbow grease *n.*

CURRAZO

—*It's gonna take a large dose of **elbow grease** to finish this on time.* • *Nos vamos a tener que pegar un currazo que no veas para acabar esto a tiempo.*

email tennis *n.*

Sucesión de envíos y respuestas de mails absurdos y que no llevan a ninguna parte.

—*After playing **email tennis** all week, we never did end up meeting up.* • *Después de mandarnos mil mails absurdos durante toda la semana, al final ni quedamos.*

exactamundo *expr.*

SATAMENTE

—*Quarterback: So, you'll write my essay if I help get you a date?* || *Class nerd: **Exactamundo**!* •

Quarterback: O sea, que ¿me harás el trabajo si te ayudo a conseguir una cita? || *Empollón: ¡Satamente!*

excuse my French *expr.*

CON PERDÓN, HABLANDO EN PLATA

—***Excuse my French**, but that girl is fucking hot!* • *Con perdón, pero ¡esa tía está buena que te cagas!*

Excuse my French y **Pardon my French** sirven para disculparse de antemano por las blasfemias o barbaridades que estás a punto de soltar. Ya se sabe que las irreverencias no suenan tan mal en la *langue de l'amour*.

execubabble *n.*

Babble significa "murmurar", "farfullar" y **exe** viene de **executive**. **Execubabble** se refiere a la jerga formada por términos vagos y altivos, habitual en las conversaciones y reuniones de empresa.

—*Boss: To drive Q3 growth, we need to develop synergies between our core success factors and instill a culture of continuous improvement.* || *Johnson: **Execubabble**! In English please!* • *Jefe: Para promover el crecimiento de Q3, tenemos que encontrar sinergias entre los factores centrales de éxito e imponer una cultura de la mejora continua.* || *Johnson: ¡Cuánto palabro! ¡En cristiano, por favor!*

F2F *acrón.*
(face to face)
CARA A CARA

—*Johnson's been chatting with his cyber girlfriend for a year now, and on Saturday, they're going to have their first **F2F**.* • *Johnson ya lleva un año chateando con su cibernovia y el sábado tendrán su primer encuentro cara a cara.*

facebrag *abrev.*
(facebook + brag)
FARDAR POR FACEBOOK

—*Facebook status: Sharon just got the cutest haircut ever!! ‖ Tracey: Another **facebrag**!* • *Estatus de Facebook: ¡Sharon está guapísima con el nuevo corte de pelo! ‖ Tracey: ¡Ya vuelve a fardar por Facebook!*

facebookable *adj.*
FACEBOOKEABLE

—*These vacation pictures are totally **facebookable**. I'm gonna post them.* • *Las fotos de estas vacaciones son totalmente facebookeables. Voy a colgarlas.*

faff about [UK] *v.*
PULULAR, PERDER EL TIEMPO

—*Now, do I use my day off for a mass of productive tasks, or just **faff about** the flat occasionally looking out the window at the snow?* • *¿Qué hago en mi día libre: aprovecho para hacer un montón de cosas productivas o me lo paso pululando por casa y mirando de vez en cuando cómo nieva por la ventana?*

fake bake *n., v.*
RAYOS UVA

—*I've got to get a **fake bake** before we go on vacation. There's no way I'm going to go to the beach looking this white.* • *Tengo que darme rayos antes de irme de vacaciones. No puedo ir a la playa así de blanca.*

fashionably late *adv.*
Arte de llegar tarde para parecer una persona muy solicitada y con una agenda muy apretada.

—*Friend: Always making an entrance I see. ‖ Cheerleader: A girl's got to be **fashionably late** to a party. How else will I get everyone* to notice me? • Amiga: Ya veo que siempre tienes que hacer tu entrada triunfal. || Animadora: Una chica con clase tiene que llegar tarde. Si no, ¿cómo voy a lograr que todo el mundo se fije en mí?

fair play [UK] *expr.*
CORRECTO, TÚ LO HAS DICHO

—Edward: You're pissed off your arse, mate. || Mark: **Fair play,** this is my tenth pint. • Edward: Vas taja que te cagas, colega. || Mark: Correcto, ya llevo diez pintas.

fanfic *n.*
(fanfiction)
Historia escrita por un fan sobre los protagonistas de su objeto de admiración: una serie, un libro, una película, un videojuego…

—Check out this Buffy **fanfic** site. The stories are better than the actual show. • Mira este sitio web de historias escritas por los fans de Buffy. Son mejores que las originales.

feel *v.*
ENTERARSE, PILLAR

—I'm not puttin' up with no more of yo' shit. Ya **feel** me? • Paso ya de tus gilipolleces. ¿Te enteras?

fizzog *n.*
CARETO

—Check out the **fizzog** on that

guy! Now that's one only a mother could love. • ¡Mirad qué careto tiene! A ese si que solo puede quererlo su madre.

five-finger discount *n.*
MANGAR (en tiendas)

—With the **five-finger discount,** these jeans were a total steal. • Como los mangamos, los vaqueros nos salieron baratitos.

flaky *adj.*
IMPREDECIBLE, NO FIABLE

—When she started working here, she seemed very reliable, but recently she's become a bit **flaky.** Maybe we need to sit down and talk to her soon. • Cuando empezó a trabajar aquí, daba mucha confianza, pero últimamente no se sabe de qué pie cojea. Quizás va siendo hora de tener una charlita con ella.

flavorgasm *n.*
(flavor + orgasm)
ORGASMO DE SABORES

—You have got to try this brownie. Total **flavorgasm!** • Prueba este brownie. ¡Es un orgasmo de sabores!

flick the bean *loc.*
HACERSE DEDOS, TOCARSE

—Kyle: Check this out! According to a study, 80% of women admit to **flicking the bean**. // *Lindsay: Yup, and the other 20% are lying.* • *Kyle: ¡Mira esto! Según un estudio, el 80% de las mujeres reconoce que se hacen dedos.* // *Lindsay: Sí, y el otro 20% miente.*

flip off *loc.*
HACER LA PEINETA

—*That car cut me off, so I **flipped him off**.* • *Ese coche me ha cerrado así que le he hecho la peineta.*

TAMBIÉN SE PUEDE DECIR TO GIVE SOMEONE THE BIRD

flirtationship *n.*
FLIRTEO, TONTEO

Esta palabra, compuesta por analogía con palabras como **relationship** o **friendship**, se refiere justamente a ese tipo de relación que está a medio camino entre las dos: algo más que una amistad, algo menos que una relación. Su significado no difiere mucho de **flirtation**.

—*Student 1: What's John doing with Cindy?* // *Student 2: As quarterback, he may be dating the head cheerleader, but he's got an active **flirtationship** with the rest of the squad.* • *Alumno 1: ¿Qué hace John con Cindy?* // *Alumno 2: Vale que es el quarterback y sale con la jefa de las animadoras, pero se pasa el día flirteando con las otras chicas.*

FNG *abrev.*
(fucking new guy)
NOVATO/A, NUEVO/A

—*Soldier: So, you're the **FNG**? Don't get shot.* • *Soldado: ¿Así que tú eres el novato? Que no te peguen un tiro.*

Esta expresión tiene su origen en la jerga militar, donde el **fucking new guy** o **FNG** era el recluta nuevo que apenas tenía experiencia sobre el terreno. Ahora se habla de **FNG** en todos los ámbitos en los que el comportamiento de una persona nueva puede afectar a todo un equipo.

for donkey's years *loc.*
DESDE HACE SIGLOS, DESDE HACE LA TIRA

—*I haven't seen Kelly **for donkey's years**.* // *Good for you.* • *Hace siglos que no veo a Kelly.* // *Mejor para ti.*

for shits and giggles *loc.*
A PASAR EL RATO Y ECHARSE UNAS RISAS

—*To what do I owe the honor of this visit?* // *I was just in the neighborhood and thought I'd stop by **for shits and giggles**.* • *¿A qué debo el honor de esta visita?* // *Estaba en el barrio y se me ha occurrido venir a pasar el rato y echarnos unas risas.*

frigging _adv., euf. de_ fucking

Igual que **fucking**, intensifica de forma negativa el sentido de lo que viene después.

—I'm getting **frigging** tired of all your BS. • Estoy hasta las narices de todas tus chorradas.

frontin' _v._

SER POSE, SER TODO FACHADA, APARENTAR

—"I know that I'm carrying on / nevermind if I'm showing off / I was just **fronting** / you know I want you, babe" (Pharrell). • "Sé que no me porto bien / da igual si no hago más que fardar / es todo pose / sabes que te quiero a ti, nena" (Pharrell).

fuck all _adv._

NI PUTA, NADA DE NADA

—I know **fuck all** about women. • No tengo ni puta idea de mujeres.

fuck me _expr._

¡HOSTIA PUTA!, ¡ME CAGO EN TODO!, ¡JODER!

—**Fuck me**, I overslept! • ¡Hostia puta, me he dormido!

PARA DARLE MÁS ÉNFASIS, PUEDES DECIR FUCK ME BACKWARDS, FUCK ME RAGGED, ETCÉTERA. LA IMAGINACIÓN, Y QUIZÁ LA ANATOMÍA, PONDRÁ LOS LÍMITES

fuck this for a game of soldiers [UK] _expr._

¡Y UNA MIERDA!, ¡YO PASO!

—You want me to do WHAT?! That's insane. **Fuck this for a game of soldiers**. • ¿¡Que quieres que haga qué!? Eso es de locos. ¡Yo paso!

fucked if I know _loc._

NI PUTA IDEA, NI FLOWERS, NI PAJOLERA IDEA, NI GUARRA

—Wilson: You wanna know why Johnson's always complaining about work? **Fucked if I know**. • Wilson: ¿Quieres saber por qué Johnson siempre se queja del trabajo? Ni puta idea.

fucked up _adj._

1 CIEGO/A, TAJA, PEDO, BORRACHO/A PERDIDO/A

—I'm NEVER drinking tequila again! The last time, I got **fucked up** beyond all recognition. • ¡No voy a volver a beber tequila nunca más! La última vez pillé un ciego de tres pares de cojones.

2 ASQUEROSO/A, LOCURA

—Did you hear about that guy in Austria who locked up and raped his own daughter? That shit is **fucked up**! • ¿Te enteraste de lo del austriaco que tenía encerrada a su hija y que la violaba? Joder, ¡qué locura!

3 IRSE A LA MIERDA

—*After a month of vacation, my gym routine was all **fucked up**.* • *Tras un mes de vacaciones, la rutina de ir al gimnasio se fue a la mierda.*

4 HECHO/A UNA MIERDA, UN PUTO CAOS, UN DESASTRE

—*My house was spotless. Then, my boyfriend comes over for five minutes, and now it's all **fucked up**.* • *Tenía la casa como una patena, pero vino mi novio cinco minutos y ahora está hecha una mierda.*

5 JODIDO/A

—*My back has been all **fucked up** ever since the snowmobile accident.* • *Tengo la espalda jodida desde el accidente con la moto de nieve.*

fucking A! *interj.*
¡DE PUTÍSIMA MADRE!

—*You got the tickets? // Of course! // **Fucking A!*** • *¿Tienes las entradas? // ¡Pues claro! // ¡De putísima madre!*

fuckwit *n.*
GILIPOLLAS

—*Thanks to the **fuckwits** higher up who messed everything up, we're all gonna be doing overtime.* • *Gracias a los gilipollas de más arriba que la han liado, ahora nos tocará a todos hacer horas extras.*

full whack

1 *adv.* A TODA LECHE, A TOPE, A TODA CASTAÑA

—*My neighbor's always got his stereo up **full whack**. Next time I'm calling the cops.* • *Mi vecino siempre pone la música a toda leche. La próxima vez llamaré a la urbana.*

2 *n.* PRECIO MÁXIMO

—*I paid **full whack** for my new computer, but oh, was it worth it!* • *Me compré el ordenador más caro, ¡pero anda que no valió la pena!*

funky *adj.*

1 QUE APESTA, APESTOSO/A

—*Something's **funky**. Who took off their shoes?* • *Aquí hay algo que apesta. ¿Quién se ha quitado los zapatos?*

2 GUAY

—*Beth's got such cool, **funky** style.* • *Beth tiene un estilo muy guay.*

FYI *abrev.*
(for your information)
QUE LO SEPAS, PARA QUE TE ENTERES

—*Wilson: **FYI**, the boss is livid today. // Johnson: Typical!* • *Wilson: Hoy el jefe está que trina, que lo sepas. // Johnson: ¡Para variar!*

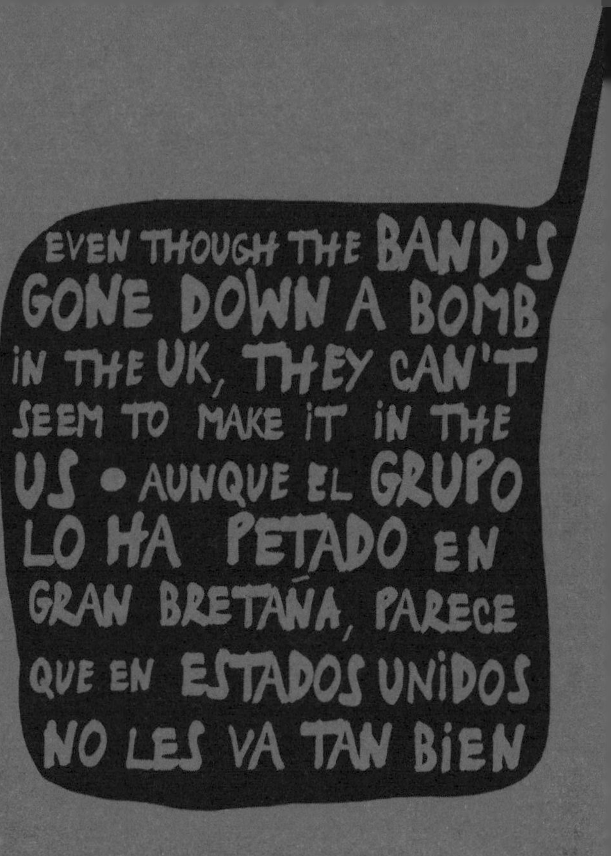
EVEN THOUGH THE BAND'S GONE DOWN A BOMB IN THE UK, THEY CAN'T SEEM TO MAKE IT IN THE US • AUNQUE EL GRUPO LO HA PETADO EN GRAN BRETAÑA, PARECE QUE EN ESTADOS UNIDOS NO LES VA TAN BIEN

gab *v.*

CASCAR, ESTAR DE CHÁCHARA, ESTAR DE PALIQUE

—*Lindsay and Sofia spent all day **gabbing** like there's no tomorrow.* • *Lindsay y Sofia se han pasado el día cascando como si se fuera a acabar el mundo.*

game on! *expr.*

¡VENGA, DALE!, ¡VAMOS ALLÁ!,

—*Typical jock: Arm-wrestle for it? // Quarterback: I can totally take you. **Game on!*** • *Típico deportista: ¿Echamos un pulso? // Quarterback: Te voy a machacar. ¡Venga, dale!*

game (be on the) *loc.*

HACER LA CALLE

—*After she got arrested, she said she wanted a new start, but two weeks later she was back **on the game**.* • *Después de la detención, dijo que quería volver a empezar, pero a las dos semanas ya estaba otra vez haciendo la calle.*

gasping for [UK] *loc.*

MORIRSE POR

—*Let's take a quick break. I'm **gasping for** a fag.* • *Paremos un momento. Me muero por un piti.*

get a load of *loc.*

QUEDARSE CON, FIJARSE EN

—***Get a load of** my new head-phones. Pro audio, noise cancella-tion: now that's the stuff!* • *Quédate con mis cascos nuevos. Audio profesional, eliminación de ruidos: ¡una pasada!*

get away! *expr.*

¡QUÉ DICES!, ¡SÍ, HOMBRE! ¡NI DE COÑA!, ¡TÚ FLIPAS!

—*I snogged a cheerleader. // **Get away!** Girls like that don't go for guys like us.* • *Le he dado un morreo a una animadora. // ¡Qué dices! Esas chicas no se enrollan con tíos como nosotros.*

PARA EXPRESAR LO MISMO TAMBIÉN PUEDES DECIR GET OUTTA TOWN!, NO SHIT! O NO KIDDING!

get it up *loc.*
LEVANTÁRSELE

—Edward was after that girl for months, but when push came to shove, he was so drunk he couldn't **get it up**. • *Edward llevaba meses detrás de esa chica, pero a la hora de la verdad, iba tan borracho que no se le levantó.*

get laid *loc.*
ECHAR UN POLVO, MOJAR, FOLLAR

—What's got you so pissy? What you need is **to get laid**. • *¿Por qué estás tan quejica? Tú lo que necesitas es echar un polvo.*

get one's act together *loc.*
PONERSE LAS PILAS

—Boss: Johnson, you'd better **get your act together** or you're outta here. • *Jefe: Johnson, como no te pongas las pilas, te echo.*

SI QUIERES DARLE ALGO MÁS DE ÉNFASIS, PUEDES USAR LA VERSIÓN VULGAR: GET ONE'S SHIT TOGETHER

get one's kit off [UK] *loc.*
QUEDARSE EN BOLAS

—Times have changed. Since when is it okay to **get your kit off** on the telly? • *¡Cómo cambia todo! ¿Desde cuándo te puedes quedar en bolas en la tele?*

get one's leg over *loc.*
ECHAR UN CASQUETE, HINCÁRSELA A ALGUIEN

—His whole I-respect-women bit is an act. All he really wants is to **get his leg over**. • *Todo eso de que "yo respeto a las mujeres" es un paripé. Lo único que quiere es echar un casquete.*

get on one's tits *loc.*
PONER DE LOS NERVIOS, SACAR DE QUICIO

—Your constant belly-aching is really **getting on my tits**. And you know what else gets on my nerves? That stupid hat you're wearing. • *Me pone de los nervios que te pases el día refunfuñando. ¿Y sabes qué más puede conmigo? Esa mierda de sombrero que llevas.*

También se dice **to get on one's nerves**.

get stuck [USA] *loc. (vulg.)*
DEJAR PREÑADA, HACER UN BOMBO A ALGUIEN

—You've got to be an idiot to **get stuck** in this day and age. Hello! It's called a condom. • *Hay que ser idiota para quedarse preñada hoy en día. Hay unas cosas que se llaman "condones"...*

get the nod *loc.*
DAR VÍA LIBRE, DAR EL OK

—*Wilson pitched his new proposal and **got the nod** from the boss to run with it.* • *Wilson planteó la nueva propuesta y el jefe le dio vía libre para tirarla adelante.*

TAMBIÉN PUEDES DECIR
GET THE OK O GET THE GREEN LIGHT

get to fuck [UK] *expr., vulg.*
¡VETE A LA PUTA MIERDA!, ¡QUE TE DEN!

—***Get to fuck,*** *you dirty piece of shit!* • *¡Vete a la puta mierda, asqueroso de mierda!*

get up one's nose *loc.*
PONER DE LOS NERVIOS, TOCAR LAS NARICES

—*Bob, sometimes you really **get up my nose**. // Look who's talking!* • *Bob, a veces me pones de los nervios. //¡Mira quién habla!*

ginormous *adj.*
(gigantic + enormous)
PEDAZO DE, CACHO

—*She's definitely daddy's little girl. Did you see that **ginormous** car he got her for her sweet sixteen?* • *Está claro que es la niña de los ojos de papá. ¿Has visto qué pedazo de coche le ha comprado por su dieciséis cumpleaños?*

girl crush *loc.*
Un **girl crush** son los sentimientos de admiración y adoración (no sexual) de una chica hacia otra chica.

—*My **girl crush** is definitely Tina Fey. I just love her, she is so funny, and I think she can be so charming!* • *Soy super fan de Tina Fey. Me encanta: es muy divertida y creo que puede ser encantadora.*

Para chicos se usa **boy crush**.

girlie mag *n.*
REVISTA PORNO, REVISTA GUARRA

—*There's no just thing as a teenage boy who doesn't have a **girlie mag** under his mattress. It's part of growing up.* • *Todos los adolescentes guardan revistas porno debajo del colchón. Forma parte del proceso de hacerse mayor.*

TAMBIÉN PUEDES DECIR
WANK MAG O JAZZ MAG

give a flying fuck *loc.*
IMPORTAR UNA PUTA MIERDA

—*Johnson: Who **gives a flying fuck** what the boss thinks? I'm doing it my way. // Wilson: There you go again. All talk and no action.* • *Johnson: ¿A quién le importa una puta mierda lo que piense el jefe? Yo lo haré a mi manera. // Wilson: Ya estás otra vez. Mucha boquilla y a la hora de la verdad, nada de nada.*

Otras formas graciosas de decir lo mismo son **to not give a rat's ass** [USA] o **a monkey's arse** [UK]. En cualquier caso, en el trabajo o en casa (donde si usas palabras como **fuck** o **ass** puede que te despidan o que te laven la boca con lejía, respectivamente), puedes suavizar el tono y decir **I could care less** o **I couldn't care less** (curiosamente significan lo mismo y, por eso, dan mucha rabia a los expertos en gramática).

give head *loc.*
HACER UNA MAMADA

—*I know I shouldn't brag, but my girlfriend **gives** awesome **head**.* • *Ya sé que no queda bien que lo diga, pero mi novia hace unas mamadas increíbles.*

give it a whirl [USA] *loc.*
PROBARLO

—*I'd never gone bungee-jumping before, so I thought, "Why not **give it a whirl**?" Now I'm totally hooked.* • *Nunca había hecho puénting, así que pensé: "¿Por qué no probarlo?" Y ahora estoy totalmente enganchado.*

give it some welly [UK] *expr.*
DARLE CAÑA, DARLE GAS, DARLE ZAPATILLA

—***Give it some welly!** If not, we won't get to the airport on time.* • *¡Dale caña! Si no, no llegamos al aeropuerto a tiempo.*

give someone a bell *loc.*
LLAMAR, DAR UN TOQUE

—*When you get home, **give me a bell**, so I know you made it alright.* • *Cuando llegues a casa, dame un toque, así sabré que estás bien.*

give someone the boot *loc.*
DAR LA PATADA A ALGUIEN

—*After I caught my boyfriend cheating on me for the third time, I finally **gave him the boot**.* • *A la tercera que pillé a mi novio pegándomela, le di la patada.*

give someone the what for *loc.*
ECHAR LA DEL PULPO

—*Wilson: Johnson, why the grim look?* || *Johnson: The boss heard me grumbling and **gave me the what for**.* • *Wilson: Johnson, ¿a qué viene esa mala cara?* || *Johnson: El jefe me ha oído quejándome y me ha echado la del pulpo.*

glad eye (the) *n.*
MIRADITAS

—*What do you mean he's not into*

*you? He's been giving you **the glad eye** all night.* • *¿Cómo que no le gustas? Lleva toda la noche lanzándote miraditas.*

Glasgow kiss [UK] *n.*

CABEZAZO

—*Bad-mouth my sister again and you'll earn yourself a **Glasgow kiss**.* • *Si vuelves a hablar mal de mi hermana, te llevarás un cabezazo.*

glass *v.*

ESTAMPAR UN VASO EN LA CARA DE ALGUIEN

—*That bar is dodgy. I heard someone gets **glassed** there at least once a week.* • *Ese bar es chungo. Me han dicho que al menos una vez a la semana le estampan un vaso en la cara a alguien.*

glitch [USA] *n.*

DEFECTO, PROBLEMA TÉCNICO, FALLO EN EL SISTEMA

—*Dave found a **glitch** in the ATM and kept taking out money for free.* • *Por un problema técnico en un cajero, Dave empezó a sacar pasta gratis.*

glug *n.*

BUEN TRAGO

—*Edward: There's nothing like that first **glug** of beer after a long day on the job.* // *Mark: Or the*

second, or the third… • *Edward: No hay nada como el primer buen trago de cerveza después de un largo día de trabajo.* // *Mark: O como el segundo, o el tercero…*

go down a bomb [UK] *loc.*

PETARLO, ARRASAR

—*Even though the band's **gone down a bomb** in the UK, they can't seem to make it in the US.* • *Aunque el grupo lo ha petado en Gran Bretaña, parece que en Estados Unidos no les va tan bien.*

go down on *loc.*

CHUPARLA, BAJAR AL POZO

—*Have you and your girlfriend done the nasty yet?* // *No, she says she's saving herself for marriage, but she still **goes down on** me all I want.* • *¿Qué? ¿Habéis follado ya tú y tu novia?* // *No, dice que se reserva para cuando estemos casados, pero me la chupa todo lo que quiero.*

go fuck yourself *expr.*

QUE TE DEN, VETE A LA MIERDA, VETE A TOMAR POR CULO

—*You can take your problems and your complaints and **go fuck yourself**.* • *Os podéis ir a la mierda tú, tus problemas y tus quejas.*

good call *n., expr.*
BUENA IDEA

—*The exhibit was a total success, and we didn't even spend that much on it. **Good call** on using recycled materials.* • *La exposición fue un éxito total, y tampoco nos gastamos tanto dinero. Buena idea eso de usar materiales reciclados.*

good crack [UK] *n.*
LA BOMBA, LA LECHE, LA HOSTIA

—*The company outing was a **good crack**. Who knew we could all let loose like that?* • *Salir con los de la empresa fue la bomba. ¿Quién iba a imaginar que todos nos soltaríamos tanto?*

go off on *loc.*
1 go off on one
DAR LA PALIZA, PEGAR LA PLASTA

—*By his third beer, he **had gone off on one** about the meaning of life and love.* • *A la tercera cerveza, ya estaba pegando la plasta sobre el sentido de la vida y el amor.*

2 go off on someone
PEGAR LA BRONCA

—*I walked in just two minutes late, and she totally **went off on me**. // Must be that time of the month.* • *Llegué solo dos minutos tarde y me me pegó una bronca del copón. // Debe de tener la regla.*

goolies [UK] *n. pl.*
COJONES

—*I lusted after her all year, but I never worked up the **goolies** to ask her out.* • *Me pasé suspirando por ella todo el año, pero no tuve cojones de pedirle que saliéramos juntos.*

go postal [USA] *loc.*
ÍRSELE LA OLLA, ÍRSELE LA PINZA

—*A guy from my company **went postal** in the meeting room the other day. He started throwing chairs and everything.* • *El otro día a un tío de mi empresa se le fue la olla en la sala de reuniones, hasta el punto de que empezó a lanzar sillas y todo.*

Gordon Bennet! [UK] *interj.*
¡MADRE MÍA!, ¡CARAY!

—*Marge, could you do 15 photocopies of the presentation please? // Can't, sorry. The photocopier's broken down. // Not again! **Gordon Bennett!*** • *Marge, ¿puedes hacer 15 fotocopias de la presentación, por favor? // Lo siento, pero no. La fotocopiadora está estropeada. //¡Otra vez no! ¡Madre mia!*

Se cree que esta expresión tiene su origen en el estrafalario estilo de vida de Gordon Bennet, un millonario y playboy británico del siglo XIX cuyas aventuras causaban sorpresa entre los lectores de la prensa.

go straight *loc.*

DEJAR LA MALA VIDA, REFORMARSE

—*After spending three days in the slammer, I'm sure he'll **go straight** from now on.* • *Después de pasar tres días en el talego, estoy segura de que dejará la mala vida.*

go to the dogs *loc.*

IRSE AL TRASTE, IR A PEOR

—*Things aren't like they were tewnty years ago. This country's **going to the dogs**.* • *Las cosas no son como hace veinte años. Este país se está yendo al traste.*

ADEMÁS DE GO TO THE DOGS Y TO POT, LAS COSAS TAMBIÉN PUEDEN GO TO HECK, TO HELL O DOWN THE CRAPPER, QUE ES MÁS GRÁFICO

gourd [USA] *n.*

TARRO, CHOLA, AZOTEA

—*When is this class gonna end? I'm bored out of my **gourd**.* • *¿Cuándo se va acabar esta clase? Me duele el tarro de lo aburrida que es.*

grungy *adj.*

DEJADO/A, SUCIO/A

—*For God's sake, put on a clean shirt. You're never going to get the job if you show up for the interview looking this **grungy**.* • *Por el amor de Dios, ponte una camisa limpia. Nunca te darán el trabajo si vas a la entrevista con este aspecto tan dejado.*

guido [USA] *n.*

ITALIANINI, ESPAGUETI

—*Tight shirt, greasy hair, gold chains: he's definitely a **guido**.* // *A walking stereotype if ever there was one.* • *Camiseta estrecha, pelo grasiento, cadenas de oro: es un italianini de tomo y lomo.* // *Un cliché con patas como pocos.*

gyp *v.*

1 TIMAR

—*The guy at the store **gypped** me two bucks in change.* • *El tío de la tienda me ha timado dos pavos en el cambio.*

Gyp proviene de **gypsy** (gitano) y, evidentemente, se trata de una palabra políticamente incorrecta que puede herir sensibilidades.

2 give gyp *expr.*

JOROBAR [UK]

—*My arm's been **giving** me **gyp** ever since the accident.* • *El brazo me está jorobando desde el accidente.*

hack (it) [UK] *loc.*

LLEGAR, APAÑÁRSELAS

—*I've gotta do my geography project and finish my CompSci paper all by tomorrow. There's no way I can **hack** it.* • *Tengo que escribir el trabajo de geografía y acabar el de informática para mañana. No llego ni de coña.*

hacked off *adj.*

MOSCA, PICADO/A, CABREADO/A

—*What's the matter with you? You sound **hacked off**.* • *¿Qué te pasa? ¿Estás mosca?*

hairy *adj.*

CHUNGO/A

—*The situation got pretty **hairy** there for awhile, but in the end, we made it out okay.* • *La situación*

se puso bastante chunga por momentos, pero al final nos apañamos bien.

half-cut [UK] *adj.*

TAJA, PEDO

—*Edward: Mark, I can barely understand you through all the slurring. How can you be pissed already? ||Mark: I was **half-cut** before I even got here!* • *Edward: Mark, vocaliza, que no te entiendo. ¿Cómo puede ser que ya vayas borracho? ||Mark: No, es que ya iba taja antes de llegar.*

half-inch [UK] *v.*

MANGAR, CHORIZAR, PILLAR

—*When my mum went to the loo, I **half-inched** a tenner from her purse.* • *Cuando mi madre se fue al baño le mangué diez libras del monedero.*

ham-fisted *adj.*

PATOSO/A, TORPE

—*He's so oblivious even the most **ham-fisted** of crooks could rob him.* • *Es tan despistado que hasta el chorizo más patoso podría robarle.*

hammer and tongs *loc.*

A SACO, A FUL, A DESTAJO

—*He said he'd work **hammer and tongs** to finish the project on time,* *and in the end, he did.* • *Dijo que trabajaría a saco para acabar el proyecto a tiempo y, al final, lo logró.*

hand job *n.*

PAJA, PAJILLA, MANOLA

—*Okay, so you can't or won't go all the way now, so how about a **hand-job**? Come on!* // *No, I don't feel like it.* • *Vale, no puedes o no quieres ir hasta el final. ¿Pero qué me dices de una pajilla? ¡Va!* // *No, no me apetece.*

hand-me-downs *n. pl.*

ROPA HEREDADA

—*Coming from a poor family, my "new" clothes were always **hand-me-downs** from my older sisters.* • *Como soy de familia pobre, mi ropa "nueva" siempre era la que heredaba de mis hermanas mayores.*

hang about! [UK] *expr.*

¡UN MOMENTO!, ¡ESPERA!

—***Hang about!** I'll be with you in just a second.* • *¡Un momento! Enseguida estoy contigo.*

hang out *v.*

1 ANDAR POR, PASAR EL RATO

—*When Mark and Edward aren't at work, you'll find them **hanging out** at the pub.* • *Si no están trabajando, Mark y Edward siempre andan por el pub.*

2 hangout *n.*

LUGAR DE OCIO

—*A recent study showed that 85% of Brits call the pub their favourite **hangout**.* • *Un estudio reciente reveló que el 85% de los británicos considera que el pub es su lugar de ocio preferido.*

hard as fuck *loc.*

1 DURO DE COJONES

—*You may think you're **hard as fuck**, but even my little sister could kick your wimpy ass.* • *Quizá crees que eres duro de cojones, pero hasta mi hermana pequeña acabaría contigo de una patada.*

2 DIFÍCIL DE COJONES

—*That test was **hard as fuck**. Half of it wasn't even in the book.* • *Ha sido difícil de cojones el examen. La mitad de las preguntas no salían en el libro.*

hard stuff *n.*

PRIVA, ALCOHOL

—*With teenagers in the house, we have to keep all the **hard stuff** under lock and key.* • *Como hay adolescentes en casa, tenemos que guardar toda la priva bajo llave.*

hater *n.*

Un **hater** es el típico al que nunca le gusta nada, que lo critica todo.

—*Jay-Z's new album is crap.* // *Why do you have to be such a **hater**?*

• *El último disco de Jay-Z es una mierda.* // *¿Por qué a ti nunca te gusta nada?*

hatstand [UK] *adj.*
CHALADO/A, MAJARA
—*What ever happened with that boy you were seeing?* // *The first few days were fine, but then he went totally **hatstand** on me.* • *¿Qué ha pasado con el chico ese con el que salías?* // *Los primeros días fueron muy bien, pero luego se volvió completamente majara.*

have a good one *expr.*
ADIÓS, QUE VAYA BIEN
—*See you later.* // ***Have a good one.*** • *Hasta luego.* // *Adiós, que vaya bien.*

have been had *loc.*
SER TIMADO/A
—*I bought concert tickets online, and it turns out they weren't even real. I've been had!* • *Tío, ¡me han timado! Me compré las entradas para un concierto en internet y resultó que eran falsas.*

have it away *loc.*
REPASARSE A ALGUIEN, HACÉRSELO CON ALGUIEN, TIRARSE A ALGUIEN
—*She plays all innocent, but she's already **had it away** with half the lacrosse team.* • *Va de buena niña, pero ya se ha repasado a medio equipo de lacrosse.*

También se dice **have it off.**

have got the painters in [UK] *loc.*
TENER VISITA, ESTAR MALA, TENER LA REGLA, ESTAR EN UNO DE ESOS DÍAS
—*Sorry, I don't really feel like going out tonight. **I've got the painters in** today.* • *Lo siento, esta noche no me apetece salir. Tengo visita.*

Hay muchos eufemismos para referirse al periodo: to be on the rag, to come on, to fall off the roof, to fly the flag, to have mum nature, to have one's relations to stay, to have the rag on/out, to have company, to have George/Fred/Joey (o cualquier otro nombre), to be that time of the month, to be the wet season, etc.

have it large *loc.*
PASARLO EN GRANDE, PASARLO TETA
—*Lindsay and Sofia didn't get in until 5:00 a.m. from a night of **having it large** on the town.* • *Lindsay y Sofia lo pasaron en grande en la ciudad y no volvieron hasta las cinco de la madrugada.*

have someone committed [USA] *loc.*

ENCERRAR A ALGUIEN
(EN UN PSIQUIÁTRICO)

—*What ever happened to that goth guy? // Oh, didn't you hear? He flipped out one day, and his parents **had him committed**.* • *¿Qué le ha pasado a aquel gótico? // ¿No te has enterado? Se chaló y sus padres lo encerraron en un manicomio.*

having a laugh [UK] *loc.*

ESTAR DE COÑA

—*You want me to lend you 100 quid? You must be **having a laugh**! You still owe me 300 from last time.* • *¿Que te preste 100 libras? ¡Tú estás de coña! Aún me debes las 300 de la última vez.*

head banger *n.*

ROCKERO/A

—*Have you been to that new bar yet? // Yeah, but it wasn't for me. All heavy metal and **head bangers**.* • *¿Has estado ya en el bar ese? // Sí, pero no es para mí. Está lleno de metaleros y rockeros.*

headcase *n.*

COMO UNA REGADERA,
LOCO/A, CHALADO/A

—*Cliff diving without the proper safety gear? He's a total **headcase**!* • *¿Ha estado tirándose de acantilados sin un buen equipo de seguridad? ¡Está como una regadera!*

heifer, heffer *n.*

TONEL, VACA, FOCA

—*Every year, I come back from holiday looking like a **heifer**. Holiday pounds are a dating disaster.* • *Todos los años, vuelvo como un tonel de las vacaciones. Y claro, luego no hay quien ligue.*

hick [USA] *n.*

PUEBLERINO/A, PALETO

—*For almost four years, I lived away from Boise, and still I thought it was a **hick** town full of **hick** people.* • *Aunque estuve cuatro años sin vivir en Boise, seguía pensando que era una ciudad de pueblerinos llena de paletos.*

high ten *n., v.*

CHOCAR LAS DOS MANOS

—*When I passed the test, I was so excited I even gave the teacher a **high ten**.* • *Cuando aprobé el examen, me emocioné tanto que hasta choqué las dos manos con el profe.*

hinky [USA] *adj.*

QUE DA MALA ESPINA

—*Hey, did you end up buying that new vacuum cleaner? || No, I didn't. There was something **hinky** about the salesman that just didn't feel right.* • *Eh, ¿al final te compraste la aspiradora? || No, porque el vendedor me daba mala espina.*

home run [USA] *n.*

LLEGAR HASTA EL FINAL

—*Guy 1: How was your date last night? || Guy 2: Let's just say… **HOME RUN!*** • *Chico 1: ¿Qué tal la cita de anoche? || Chico 2: Solo te diré una cosa: llegamos hasta el final.*

Un **home run** es la jugada estrella, tanto en el béisbol como en la cama. Como es el pasatiempo preferido de los norteamericanos, las metáforas basadas en este deporte se usan en todas las etapas del juego sexual. **Make it to first base** con alguien es besarse. **Second base** es tocarse por arriba. **Third base** es tocarse por abajo (de forma oral y manual), y un **home run** es… pues eso, llegar hasta el final.

hood rat [USA] *n.*

PUTÓN DE BARRIO

—*"See, I could have me a good girl / and still be addicted to them **hood rats**" (Kanye West).* •

"Ves, podría pillarme a una buena chica / y aún estaría enganchado a los putones de barrio" (Kanye West).

hoosegow *n.*

TALEGO, CHIRONA, TRULLO

—*Where's Sam? || Didn't you hear? He got carted off to the **hoosegow** for possession of pot.* • *¿Dónde está Sam? || ¿No te has enterado? Se lo han llevado a chirona por posesión de maría.*

Hoosegow es la pronunciación a la inglesa de la palabra española "juzgado". En los duros días del Lejano Oeste, el que te mandaba al talego era the **hoosegow**!

hots for someone (have the) *loc.*

ESTAR COLGADO/A DE/POR ALGUIEN, ESTAR COLADO/A POR ALGUIEN, ESTAR LOQUITO/A POR LOS HUESOS DE ALGUIEN

—*Every guy in school **has got the hots for** Ms. Williams. She may be old, but she is fine!* • *Todos los tíos del colegio están colgados de la Srta. Williams. Es algo mayor, ¡pero está bien buena!*

hot-wire *v.*

HACER EL PUENTE

—*The thieves broke in, **hot-wired** the car and drove away, all in* *under two minutes.* • *En menos de dos minutos los ladrones consiguieron entrar en el coche, hacerle el puente y pirarse.*

how's it hanging? [UK] *expr.*

How's it hanging? es otra forma de decir **How are you?** o **How's it going?** Suelen usarlo solo los hombres. Si te paras a pensar qué es lo que le cuelga a un hombre, entenderás por qué.

—*'Sup, Thomas.* **How's it hanging?** • *¿Qué tal, Thomas? ¿Cómo va todo?*

HTF *abrev.*
(how the fuck)

¿CÓMO COÑO?

—*SMS:* **HTF** *did u get my number?* • *SMS: ¿Cómo cño hs conseguido mi núm?*

hulk out *v.*

PONERSE COMO UNA MOTO, CABREARSE MOGOLLÓN, PONERSE COMO UN BASILISCO

—*My husband's gonna* **hulk out** *when he sees his car.* // *What happened?* // *I ran into a post and dented up the fender.* • *Mi marido se va a poner como una moto cuando vea el coche.* // *¿Qué ha pasado?* // *He chocado contra un poste y he abollado el parachoques.*

humble pie (eat) *loc.*

TRAGARSE LAS PALABRAS

—*You're all talk now, but it's only a matter of time before we beat you, and trust me, you'll all be* **eating humble pie** *when that happens.* • *Ahora todo es palabrería, pero que os ganemos es cuestión de tiempo y, créeme, cuando eso pase os tragaréis vuestras palabras.*

hung like a horse *loc.*

BIEN DOTADO

—*How can he be doing porn? He's not even good looking.* // *Well, for one, he's* **hung like a horse.** • *¿Cómo puede dedicarse al porno? Si ni siquiera es guapo.* // *Ya, pero por lo visto está muy bien dotado.*

hurt like a bitch [USA] *loc.*

DOLER UN HUEVO, DOLER QUE TE CAGAS, DOLER LA HOSTIA

—*I just gave myself a paper cut, and it* **hurts like a bitch!** • *Me he cortado con el papel y ¡duele un huevo!*

hyper *adv., adj.*

ATACADO/A, EXCITADO/A

—*My dog goes all* **hyper** *whenever someone comes for a visit.* • *Mi perro se pone muy atacado cuando tenemos visita.*

I'm just sayin' *loc.*
DECIR ALGO SIN MALA INTENCIÓN, HABLAR POR NO CALLAR

—*School gossip 1: I heard that Tracy in math class is a total tramp.* || *School gossip 2: Hey, she's my cousin!* || *School gossip 1: Well, **I'm just sayin'**!* • *Cotilla del insti 1: Me han dicho que Tracy, la de la clase de mates, es muy frescales.* || *Cotilla del insti 2: ¡Eh, que es mi prima!* || *Cotilla del insti 1: No lo decía con mala intención.*

IDK *abrev.*
(I don't know)
NO SÉ, NI IDEA

—*SMS 1: Is John coming?* || *SMS 2: **IDK*** • *SMS 1: ¿Viene John?* || *SMS 2: Ni idea.*

in *adj.*
QUE SE LLEVA, FASHION

—*What are you wearing?!? Bell-bottoms haven't been **in** for years!* • *¿Pero qué te has puesto? ¡Los pantalones de pata de elefante hace años que están pasados!*

IRL *abrev.*
(in real life)
DE VERDAD, EN LA VIDA REAL

—*In a chat room: So, what's your name in **IRL**?* • *En un chat: Y bien, ¿cómo te llamas de verdad?*

into (be) *loc.*
MOLAR, ESTAR METIDO EN ALGO, INTERESARSE

—*I'm mostly **into** comic books.* • *A mi lo que más me mola son los cómics.*

ivories [UK] *n.*
PIÑOS

—*She's got a rotten set of **ivories**. She badly needs to see a dentist.* • *Tiene los piños destrozados. Tiene que ir al dentista cuanto antes.*

jack shit [USA] *n.*
UNA MIERDA, NADA, NI PAPA

—*Help you buy a new laptop?
Sure, but I don't know jack shit
about computers.* • *¿Que te ayude
a comprar un portátil? Vale, pero
no tengo ni papa de ordenadores.*

jam-packed *adj.*
A PETAR, PETADO/A

—*I really enjoyed the concert last
night, but it was jam-packed. I
could barely move!* • *Me encantó el
concierto de anoche, pero estaba tan
a petar que no podía ni moverme.*

Jap's eye [UK] *n. vulg.*
AGUJERO DE LA PICHA

—*I went in for an STD test, and
the doctor stuck a Q-tip up my
Jap's eye.* • *Fui a hacerme una
prueba de ETS y el médico me metió
una sonda por el agujero de la picha.*

jazz mag *n.*
REVISTA PORNO, REVISTA
GUARRA

—*I nicked a jazz mag from my
brother's room.* // *Who needs a jazz
mag when you've got the Web?
The internet is one giant jazz mag.*
• *He mangado una revista porno
de la habitación de mi hermano.* //
*¿Quién quiere una revista porno si
tienes internet? Internet es una gran
revista porno.*

Dos sinónimos: **girlie mag** y
wank mag.

jeez! *interj.*
¡JODER!

—*Jeez, Mark, enough with the
whining already.* • *Joder, Mark,
deja ya de quejarte.*

Jesus H. Christ! *interj.*
¡MADRE DE DIOS!

—*Jesus H. Christ! This place is
a mess! That's the last time I leave
you two here alone.* • *¡Madre de
Dios! Esto está hecho un asco. Es la
última vez que os dejo solos.*

Todos los niños norteamericanos
saben que se les va a caer el pelo
cuando sus padres los llaman
por el nombre completo, usando
también su segundo nombre
(**middle name**). Así que es
normal que también Jesús reciba
uno en un momento de exaspe-
ración.

Jesus freak n.

MEAPILAS

—*You can either hang here with the cool kids or go pray with the **Jesus freaks**.* • *Puedes quedarte aquí con los tíos guays o ir a rezar con los meapilas.*

jibber-jabber n., v.

Hablar sin parar de forma poco clara y poco provechosa.

—*At least 90% of all business meetings are a waste of time. Just **jibber-jabber**, jibber-jabber.* • *Al menos el 90% de las reuniones de trabajo son una pérdida de tiempo. Se habla, se habla y se habla...*

jiggery-pokery [UK] n.

MOVIDAS, TEJEMANEJES, LÍOS

—*You think England's bad? Try America with all it's lawsuits and legal **jiggery-pokery**.* • *¿No te gusta Inglaterra? Pues vete a Estados Unidos, ya verás, con todas esas demandas y movidas legales.*

job (be on the) [UK] loc.

TENER FAENA, MOJAR

—*Look at the smile on John's face. I bet he **was on the job** last night.* • *Mira cómo sonríe John. Fijo que ayer tuvo faena.*

jobby [UK] n.

PINO, TORDO, ZURULLO

—*I can't flush. My **jobby's***

plugging up the toilet. • *El pino que he plantado ha atascado la taza.*

jobsworth [UK] n.

El típico trabajador repelente que exige que todo se haga según las normas.

—*I've never met a civil servant who isn't a **jobsworth**.* • *Los funcionarios que conozco hacen lo justo para cumplir el expediente.*

juice n.

1 COTILLEO, INFO

—*Okay, girl, spill the **juice**. What did you find out about that new guy in Marketing? || Let's just say, a lady doesn't kiss and tell.* • *A ver, tía, suelta toda la info. ¿Qué sabes del nuevo de marketing? || Las señoras no hablamos de nuestros ligues.*

2 ESTEROIDES, GASOLINA SÚPER

—*I stopped going to my old gym. It was always full of **juice** pigs shooting up in the locker room.* • *He cambiado de gimnasio porque el vestuario estaba siempre lleno de yonquis de los esteroides pinchándose.*

junk n.

BASURA, TRATOS

—*Mother to son: Get rid of all that **junk**. It's just cluttering up your room.* • *Madre a hijo: Tira toda esa basura. Tienes la habitación hecha un caos.*

K *n.*
1000

—*I dropped 4 **K** on this new stereo, but the sound quality makes it so worth it.* • Me gasté 4000 en este equipo de música, pero vale la pena porque suena de puta madre.

kankles [USA] *n.*
TOBILLOS GORDOS (DEL GROSOR DE LAS PANTORRILLAS)

—*What kind of shoes can help hide **kankles**? // None. I think you would have to get shoes that go past your ankle.* • ¿Con qué zapatos disimulo estos tobillos de elefante? // Con ninguno. Tendrías que comprarte unos zapatos que te los tapen.

kapeesh? *interrog., del it.*
¿(ES)TAMOS?, ¿LO PILLAS?

—*If you ever disrespect me again, I'll have your balls. **Kapeesh?*** • Como vuelvas a faltarme al respeto, te corto los huevos. ¿Tamos?

ESTA PALABRA PROVIENE DEL ITALIANO. ES UNA DEFORMACIÓN DE CAPISCI. TAMBIÉN PUEDE ESCRIBIRSE CAPEESH

kecks, kegs [UK] *n. pl.*
1 PANTACAS

—*These are my work **kecks**.* • Estos son mis pantacas de trabajo.

2 GAYUMBOS

—*Fuck me! I'm all out of clean **kecks**. //Ah! Tell me something I don't know.* • ¡Mierda! No me quedan gayumbos limpios. //¡Uy! ¡Vaya novedad!

keep it real *loc.*
1 NO FLIPARSE, NO SUBÍRSELE

—*I know I'm rich and sexy, but I still like to **keep it real**.* • Sé que soy rico y sexy, pero intento no fliparme mucho.

2 ¡NOS VEMOS!

—*See ya later, man. **Keep it real!*** • Hasta luego, tío. ¡Nos vemos!

keep it zipped [USA] *loc.*

NO ABRIR LA BOCA

—*He's really nasty to her. Should I say something or **keep it zipped**?* • *Se pasa mucho con ella. ¿Me meto o mejor no abro la boca?*

keep one's eyes peeled *loc.*

ESTAR AL LORO, ESTAR AL QUITE

—*On the motorway: We've gotta be close. **Keep your eyes peeled** for the exit.* • *En la autopista: Debemos de estar cerca. Estate al loro con la salida.*

keep tabs on *loc.*

NO QUITAR OJO, CONTROLAR

—*Cheerleader: I'm worried my boyfriend might be cheating on me. // Head cheerleader: Don't worry. I've got the whole team **keeping tabs on** him.* • *Animadora: Me preocupa que mi novio pueda estar engañándome. // Jefa de las animadoras: Tú tranquila. He pedido a las del equipo que no le quiten ojo.*

keep your pants on! *expr.*

¡TEN PACIENCIA!, CON LA CALMA

—*I'm almost done. **Keep your pants on!*** • *Ya casi he terminado. ¡Ten paciencia!*

kick-ass *adj.*

COJONUDO/A, DE PUTA MADRE

—*Coach and I came up with a **kick-ass** new play for Saturday's game.* • *Al entrenador y a mí se nos ha ocurrido una jugada cojonuda para el partido del sábado.*

kick ass

1 *v.* MOLAR

—*The new song really **kicks ass**.* • *La nueva canción mola mazo.*

2 *interj.* ¡TOMA YA!, ¡COJONUDO!

—***Kick ass!** I just won 100 bucks on the scratch lottery.* • *¡Toma ya! Acabo de ganar cien pavos en el rasca-rasca.*

kick seven shades of shit out of someone *loc.*

DAR UNA PALIZA DE TRES PARES DE COJONES

—*Careful. He **kicked seven shades of shit out of** the last guy who pissed him off.* • *Ve con cuidado. Le dio una paliza de tres pares de cojones al último que lo cabreó.*

kick something into touch [UK] *loc.*

DEJAR ALGO POR RESOLVER, DEJAR ALGO APARCADO

—*I'm going to **kick** this math problem **into touch** for now.*

Tomorrow's another day. • *De momento voy a dejar este ejercicio de mates aparcado. Mañana será otro día.*

kick the bucket *loc.*
PALMAR, IRSE AL OTRO BARRIO, ESTIRAR LA PATA
—*The old man **kicked the bucket** last Tuesday.* • *El viejo palmó el martes pasado.*

kicks *n.*
ZAPAS, BAMBAS
—*Hey, don't step on my new **kicks**!* • *¡Eh! No me pises las zapas nuevas.*

kisser *n.*
JETO, JETA, MORROS
—*They hit him right in the **kisser**.* • *Le dieron en todo el jeto.*

knee trembler *n.*
POLVO DE PIE
—*Too horny to wait, the two lovers enjoyed a **knee trembler** in the alley.* • *Estaban tan cachondos que no se pudieron aguantar y echaron un polvo de pie en el callejón.*

knock back *v.*
1 PIMPLAR, BEBER
—*He likes to get together with his friends and **knock back** a few on the weekend.* • *Los fines de semana le gusta quedar con los amigos y pimplar un poco.*

2 DAR CALABAZAS, PASAR, NO HACER NI PUTO CASO
—*I've asked her out at least twenty times, but she's **knocked** me **back** every time.* • *Le he pedido para salir al menos veinte veces, pero siempre me da calabazas.*

knock it off! *expr.*
¡BASTA YA!, ¡DÉJALO!
—***Knock it off!** I'm warning you.* • *¡Déjalo! Yo ya te he avisado.*

knock on [UK] *loc.*
SER UN PURETA
—*She may be **knocking on** a bit, but she still looks smart.* • *Será un pelín pureta, pero aún está de buen ver.*

know one's onions *loc.*
ESTAR CANSADO DE HACER ALGO, TENER EL CULO PELADO DE HACER ALGO, DOMINAR UN HUEVO
—*Thank God you **know your onions** when it comes to changing tyres! Otherwise, we'd still be stuck out in the middle of nowhere.* • *Suerte que estás cansado de cambiar neumáticos. Si no, aún estaríamos tirados en medio de la nada.*

knock one out [UK] *loc.*
HACERSE UNA PAJA

—*What took you so long? **Knocking one out** in the loo? // Ha ha! I bumped into Sofia on the way, and we talked a bit.* • *¿Por qué has tardado tanto? ¿Te estabas haciendo una paja en el baño o qué? // ¡Ja ja! No, me he encontrado a Sofia y hemos estado charlando un poco.*

knock out *v.*
SACAR (PRODUCIR A UNA VELOCIDAD ELEVADA)

—*Cindy is an avid blogger. She usually **knocks out** at least ten posts a week.* • *Cindy es una ferviente bloguera. Saca unos diez posts a la semana como poco.*

knock something on the head [UK] *loc.*
PASAR, DEJARLO, ABANDONAR

—*The plan wasn't working, so we ultimately **knocked it on the head**.* • *El plan no estaba saliendo bien, así que al final pasamos.*

knock ten bells out of someone *loc.*
MOLER A PALOS

—*How can you just stand here and take his insults? If it were me, I'd go over there and **knock ten bells out of him**!* • *No sé cómo te puedes quedar ahí plantado dejando que te insulte. Yo en tu lugar iría allí y lo molería a palos.*

knock the spots off *loc.*
DAR MIL VUELTAS

—*I'm definitely going to get the new iPhone. I've heard it **knocks the spots off** of every other mobile on the market.* • *Sin duda me voy a pillar el nuevo iPhone. Me han dicho que le da mil vueltas a cualquier otro móvil del mercado.*

knuckle sandwich *n.*
PUÑETAZO EN LA BOCA

—*Brian wouldn't keep his big mouth shut, so I gave him a **knuckle sandwich**.* • *No había manera de que Brian se callara, así que le di un puñetazo en la boca.*

Kool-Aid (drink the) *loc.*
Esta expresión significa creeer fervientemente en algo, convertirse en fanático/a de algo. Viene del suicidio colectivo de Jonestown en 1978 cuando el líder de la secta obligó a sus seguidores a beber Kool-Aid (mezcla en polvo para bebidas) con cianuro. Más de 900 personas **drank the Kool-Aid** y murieron.

—*Yeah, Apple is cool, but why does everyone who buys a Mac wind up **drinking the Kool-Aid**?* • *Sí, Apple mola, pero ¿por qué todos los que se compran un Mac se convierten en unos talibanes de Apple?*

WE RAN LIKE THE CLAPPERS AND MANAGED TO HOP IN THE TRAIN JUST AS THE DOORS WERE CLOSING
• CORRIMOS A TODA LECHE Y PUDIMOS SUBIR AL TREN JUSTO CUANDO SE CERRABAN LAS PUERTAS

laddish [UK] *adj.*
DE MACHITO

—*He's loud, arrogant and drinks like a fish. You know, the usual laddish behaviours.* • *Es gritón, arrogante y chupa como una esponja. Ya sabes, los típicos comportamientos de machito.*

LADETTE y LADDISH PROVIENEN DE LA PALABRA LAD, QUE SIGNIFICA NIÑO PEQUEÑO EN TODOS LOS PAÍSES DE HABLA INGLESA. SOLO EN GRAN BRETAÑA HA TOMADO ADEMÁS EL SENTIDO DE GUY, "TÍO"

ladette [UK] *n.*
MARIMACHO, MACHORRA

—*My mother brought me up be a lady, but in my heart of hearts, I'm a hard-drinking ladette.* • *Mi madre me educó para que fuera una señorita, pero en el fondo soy una marimacho borrachuza.*

ladyboy *n.*
TRAVELO

—*Man, I almost kissed a ladyboy! In my defense, he had a smokin' woman's body!* • *Tío, ¡casi le doy un morreo a un travelo! En mi defensa debo decir que tenía un cuerpazo que te cagas.*

lager lout *n.*
BORRACHUZO/A ANTISOCIAL

—*Wasn't he the captain of the football team? ‖ He used to be. Now, he's just a lager lout who spends his day staring at the bottom of a glass.* • *¿Ese no era el capitán del equipo de fútbol? ‖ Era. Ahora no es más que un borrachuzo antisocial que se pasa el día mirando el culo del vaso.*

lam *v.*
1 PEGAR UNA PALIZA

—*John's got a violent streak. He lammed a guy just for looking at him funny.* • *John tiene un punto violento. Le pegó una paliza a un tío solo porque le miraba raro.*

2 ESCAPARSE [USA]

—*It's still a great mystery how the dog lammed from his pen.* •

Sigue siendo un misterio cómo el perro pudo escaparse de la casita.

lamp *v.*

DAR UNA BOFETADA,
PEGAR UNA LECHE

*—What happened to your face? // My wife **lamped** me for going to a strip club.* • *¿Qué te ha pasado en la cara? // Mi mujer me ha dado una bofetada por haber ido a un club de striptease.*

lanky streak of piss [UK] *n.*

TIRILLAS, FIDEO, PALILLO

*—He's been working out? He's still a **lanky streak of piss**.* • *Habrá ido mucho al gimnasio, pero sigue siendo un tirillas.*

lard ass [USA] *n.*

GORDO/A, SEBOSO/A

*—Move it, you big **lard ass**!* • *¡Muévete, gordo seboso!*

lay an egg *loc.*

HACER UN CHURRO,
HACER UN BODRIO,
HACER UNA CASTAÑA

*—He usually does a good job, but this time he really **laid an egg**.* • *Suele trabajar muy bien, pero esta vez ha hecho un auténtico churro.*

lay into *v.*

1 ECHAR UNA BUENA
BRONCA, ENSAÑARSE

*—The coach really **laid into** the team members who showed up late.* • *El entrenador echó una buena bronca a los jugadores que llegaron tarde.*

2 ARREMETER

*—The linebackers **laid into** the other team with gusto.* • *Los apoyadores arremetieron con saña al equipo rival.*

EN GRAN BRETAÑA TAMBIÉN
SE DICE WEIGH INTO

leathering *n.*

PALIZA

*—Her husband gave her a **leathering** within a inch of her life, and still she won't leave him. // Unbelievable!* • *Su marido le dio una paliza que estuvo a punto de matarla, y aun así, ella no lo planta. // ¡Increíble!*

lefty *n.*

1 ZURDO

*—I'm a **lefty**, but when I broke my arm, I learned to do a lot of things with my right hand.* • *Soy zurdo, pero cuando me rompí el brazo aprendí a hacer muchas cosas con la derecha.*

2 PROGRE, SOCIATA, IZQUIERDOSO/A, ROJO/A [UK]

—*Check out that bumper sticker: "Trees are our friends." Bloody **lefty**!* • *Al loro con esa pegatina: "Los árboles son nuestros amigos". ¡Puto progre!*

leg it *loc.*
SALIR POR PATAS

—*The former convict heard police sirens and **legged it** on out of there. Old habits die hard.* • *El exconvicto oyó las sirenas de la policía y salió por patas. La cabra siempre tira al monte.*

legit *adj., abrev.*
(legitimate)

1 ORIGINAL, LEGAL, REGLAMENTARIO/A

—*Everything you see here is **legit**. No fakes here.* • *Todo lo que ves es original. Aquí no tenemos imitaciones.*

2 LEGÍTIMO

—*If you don't want to see her, that's totally **legit**. I'll stand by you.* • *Tienes todo el derecho a no querer verla. Yo te apoyaré.*

3 GUAY

—*I bought the concert tickets. // **Legit!*** • *He comprado las entradas para el concierto. //¡Guay!*

legless *adj.*
CIEGO/A, PEDO, TAJA

—*He drank himself **legless** last night. In short, a typical Saturday night.* • *Anoche se tajó mucho. O sea, como cada sábado.*

Si bebes mucho alcohol, llegará un punto en que ni te sentirás las piernas. Otros sinónimos coloquiales de **borracho/a** son **wasted, plastered, shit-faced, leathered, battered, smashed, pissed, hammered, wellied, mashed, wrecked, steaming, ratted, loopy, fucked up, blitzed, sloshed, trashed, twatted, tanked, well gone, steamboats, off one's face, off one's head, off one's box, off one's chump, off one's tits, off one's trolley,** etc.

letdown *n.*
BAJÓN, CHASCO, DECEPCIÓN

—*After all the hype about it, the movie was a total **letdown**.* • *Después de tanto bombo y tanta historia, la película fue un bajón total.*

let one rip *expr.*
TIRARSE UN PEDO

—*Lindsay: Ewww, something reeks! Did you just **let one rip**? // Kyle: Hey, it wasn't me.* • *Lindsay: ¡Puaj, cómo apesta! ¿Acabas de tirarte un pedo? //Kyle: Eh, que yo no he sido.*

OTROS SINÓNIMOS COMUNES PARA LAS FLATULENCIAS SON: LET OFF, CUT THE CHEESE, PASS GAS, LET ONE FLY, LET ONE GO, CUT ONE, FART Y BREAK

lickety-split [USA] adv.
PITANDO, A TODA PASTILLA

—*When the class nerd heard the football team come down the hallway, he was out of there **lickety-split**.* • *Cuando el friqui de la clase oyó que los jugadores del equipo de fútbol venían por el pasillo se largó pitando.*

like a bastard loc.
A TODA LECHE, A TODO METER

—*We were running around **like a bastard**, trying to get everything done on time.* • *Estuvimos corriendo de un lado para otro a toda leche para tenerlo todo listo a tiempo.*

EN GRAN BRETAÑA TAMBIÉN PUEDES DECIR LIKE A BLUE-ARSED FLY

like fuck loc.
1 A TODA HOSTIA, A SACO

—*We worked **like fuck** and managed to finish everything in just half a day.* • *Trabajamos a toda hostia y pudimos acabarlo todo en solo medio día.*

2 LA HOSTIA, DE COJONES, UN MONTÓN, QUE TE CAGAS

—*Oh, that hurts **like fuck**!* • *¡Ah, eso duele la hostia!*

3 *interj.* ¡Y UNA PUTA MIERDA!

—*You're coming with me and you're gonna like it.* // ***Like fuck!*** • *Tú te vienes conmigo. Ya verás que te gustará.* // *¡Y una puta mierda!*

like nobody's business loc.
1 A TODA PASTILLA

—*She reads through books **like nobody's business**.* • *Se lee los libros a toda pastilla.*

2 QUE TE CAGAS, COMO DIOS

—*He cooks **like nobody's business**.* • *Cocina que te cagas.*

like the clappers loc.
A TODA LECHE, A TODO TRAPO, A TODO METER

—*We ran **like the clappers** and managed to hop in the train just as the doors were closing.* • *Corrimos a toda leche y pudimos subir al tren justo cuando se cerraban las puertas.*

like there's no tomorrow loc.
COMO SI SE FUERA A ACABAR EL MUNDO

—*After a hard day at the job, he always eats **like there's no** *tomorrow.* • *Después de un duro día en el trabajo, siempre come como si se fuera a acabar el mundo.*

lip *n. inv.*

IMPERTINENCIAS, BORDECES

—*Father to sassy daughter: I've had enough **lip** out of you today.* • *El padre a la hija caradura: Ya basta de impertinencias por hoy.*

lippy

1 *adj.* [USA] RESPONDÓN/ONA

—*Where's Jaycee? Practice is about to start. // She can't make it today. She got **lippy** with her English teacher and got sent to detention.* • *¿Dónde está Jaycee? El entrenamiento está a punto de empezar. // Hoy no puede venir. Se ha puesto respondona con el profesor de inglés y la han castigado.*

2 *n.* [UK] PINTALABIOS

—*Her glass is the one with **lippy** all over the rim.* • *Su vaso es el que tiene pintalabios por todo el borde.*

liquid courage *n.*

ALCOHOL

—*Bart can't even talk to girls before taking a healthy swallow of **liquid courage**.* • *Bart es incapaz de hablar con chicas sin haber echado antes un buen trago de alcohol.*

livener [UK] *n.*

RECONSTITUYENTE (*irón.*), TRAGO

—*There's nothing like a restorative **livener** after a long day on the job.* • *No hay nada como un buen reconstituyente después de un largo día de trabajo.*

lock-in *n.*

1 [UK] TIENDAS ILEGALES (por no respetar los horarios)

—*Longer opening hours are making the after-hours **lock-in** a dying tradition.* • *Como ahora se puede abrir hasta más tarde, las tiendas ilegales están desapareciendo.*

2 [USA] Reunión nocturna de jóvenes en un sitio cerrado y normalmente controlado por adultos como alternativa a actividades ilícitas.

—*Sign up for the church **lock-in**. There'll be all the pizza, soda and fun you can handle.* • *Apúntate a la reunión de la parroquia. Habrá todas las pizzas, refrescos y diversión que quieras.*

looker *n.*

GUAPO/A, ATRACTIVO/A

—*Your baby is so cute. She's going to be a real **looker** someday.* • *Tu bebé es una monada. Será muy guapa de mayor.*

loony bin *loc.*

MANICOMIO

—*Keep acting like that, and you'll end up in the loony bin.* • *Como sigas comportándote así, acabarás en el manicomio.*

OTRAS FORMAS COLOQUIALES
DE REFERIRSE A UNA INSTITUCIÓN
PSIQUIÁTRICA SON BOOBY HATCH,
CUCKOO'S NEST, FUNNY FARM,
FUNNY HOUSE, MADHOUSE,
MENTAL HOME, NUTHOUSE
Y LAUGHING ACADEMY

loop (out of the) *loc.*

NO ENTERARSE, NO ESTAR AL DÍA, NO ESTAR A LA ÚLTIMA

—*Make sure you CC me on all outgoing emails. I can't afford to be out of the loop* • *No te olvides de ponerme en copia de todos los mails. Tengo que estar al día.*

lose one's marbles *loc.*

PERDER LA CHAVETA

—*My neighbour has lost his marbles. He keeps talking to people who aren't even there.* • *Mi vecino ha perdido la chaveta. Habla solo.*

lose the plot *loc.*

PERDERSE, PERDER EL HILO

—*You'd think she was a blonde, so often does she lose the plot.* • *Parece medio tonta, se pierde todo el rato.*

low-life *n.*

ESCORIA, GENTUZA

—*When am I ever going to find "the one"? || Well, for starters, it would help if you stopped falling for low-lifes and losers* • *¿Cuándo encontraré mi media naranja? || Pues para empezar, ayudaría bastante que no te enamoraras de escoria y de fracasados.*

lug *n.*

1 [USA] PATOSILLO/A

—*Come give me a kiss, you big lug.* • *Ven y dame un beso, patosillo.*

2 [UK] OREJA

—*They pulled him out of the pub by the lug.* • *Lo sacaron del pub de la oreja.*

lush *n.*

1 BORRACHO/A

—*My boyfriend is a lush, but then again, boys will be boys.* • *Mi novio es un borracho, pero, bueno, ya se sabe, los chicos son así.*

2 *adj.* BUENÍSIMO/A [UK]

—*I just had a lush pizza.* • *Me acabo de comer una pizza buenísima.*

made up [UK] adj.
DE BUEN HUMOR, ALEGRE

—*I'm very **made up** by your good news.* • *Tus buenas noticias me han puesto de buen humor.*

mad for it [UK] loc.
COMO LOCO/A, ENTUSIASMADO/A

—*The fans went **mad for it** when their team won the league.* • *Los aficionados se pusieron como locos cuando su equipo ganó la liga.*

make oneself scarce loc.
ESFUMARSE

—*The cops are coming. We'd better **make ourselves scarce**.* • *Viene la pasma. Hay que esfumarse.*

make tracks loc.
1 PIRARSE, ABRIRSE

—*It's getting late. Time to **make tracks**.* • *Nos piramos, que se está haciendo tarde.*

2 LARGARSE A TODA LECHE

—*When the cops busted the party, everyone began **making tracks** for the back door.* • *Cuando la poli irrumpió en la fiesta, todo el mundo se largó a toda leche por la puerta de atrás.*

Manc [UK] n.
MANCUNIANO/A

—*Liam Gallagher's a 100% full-blooded **Manc**.* • *Liam Gallagher es un mancuniano de pura cepa.*

maybe later expr.
QUIZÁ DESPUÉS

—*Guy: Wanna go back to my place? || Girl: **Maybe later**.* • *Chico: ¿Quieres ir a mi casa? || Chica: Quizá después.*

¡EN REALIDAD, ESTE MAYBE LATER SIGNIFICA QUE NO!

mealy-mouth v.
MAREAR LA PERDIZ, IRSE POR LAS RAMAS

—*Quit **mealy-mouthing**. That's not a real apology.* • *Deja de marear la perdiz y discúlpate.*

meat market *n.*

LUGAR PARA PILLAR CACHO

—*This club's a total **meat market** and that's why I love it!* • *A esta disco la peña viene a pillar cacho, ¡por eso me gusta tanto!*

megabucks *n. pl.*

UN PASTÓN, UNA PASTA (GANSA)

—*This calculator cost **megabucks**, but it's so cool. It can even graph polymorphic functions.* • *Esta calculadora me costó un pastón, pero mola cantidad. Hasta puede hacer gráficos de funciones polimórficas.*

-meister *suf.*

Meister es una palabra alemana que significa "maestro". Cuando la añadimos como sufijo a otra palabra sirve para señalar, de forma graciosa, que alguien es un experto o un crack en algo.

—*I'm not a gossip. I'm a society media**meister**.* • *Yo no soy un cotilla. Soy un experto en prensa rosa.*

melons *n. pl.*

MELONES

—*Her **melons** are so big its almost scary.* • *Tiene los melones tan grandes que casi dan miedo.*

mental constipation *n.*

EMPANADA MENTAL, LA PICHA UN LÍO

—*To best friend: Hi, Jo... er... um... yeah... your name is Nathan. Sorry, a bit of **mental constipation** there.* • *Al mejor amigo: Hola. Esto... Eh... Mmm... te llamas Nathan. Perdona, llevo una empanada mental....*

CUANDO EL CEREBRO NO COLABORA U OLVIDAS ALGO MUY SENCILLO, MUCHAS VECES TAMBIÉN PUEDES DECIR I'VE HAD A BRAIN FART

Mickey D's [USA] *n.*

MCDONALD'S, MCMIERDA

—*Given a choice between **Mickey D's** and Subway I would opt for the former any day.* • *Si tengo que elegir entre McDonald's o Subway, sin duda me quedo con el primero.*

miffed *adj.*

HASTA LAS NARICES, MOSQUEADO/A

—*I'm starting to get really **miffed** by all his rude comments.* • *Empiezo a estar bastante hasta las narices de todos estos comentarios bordes que hace.*

milf *acrón.*
(mother I'd like to fuck)
MQMF (MADRE QUE ME
FOLLARÍA)

—*Whoah, Janice's mom is a **milf**!*
• *Buah, la madre de Janice es una
MQMF.*

A los padres buenorros se les
llama **DILF (daddy I'd like to
fuck)**.

mind-blowing *adj.*
FLIPANTE, ALUCINANTE, QUE
MOLA MAZO, QUE TE CAGAS

—*I haven't tried sky-diving, but
they say it's a truly **mind-blowing**
experience.* • *Nunca he hecho pa-
racaidismo, pero dicen que es una
experiencia flipante.*

mitts *n. pl.*
MANOS, ZARPAS

—*Guy: Wanna go watch a movie
with me? || Girl: Sure, if you can
keep your **mitts** to yourself!* •
*Chico: ¿Quieres ir al cine conmigo?
|| Chica: Sí, si puedes mantener esas
manos quietecitas.*

monster *n.*
CRACK, MÁQUINA

—*You'll never beat me. I'm a
video game **monster**.* • *Nunca
me ganarás. Soy un crack de los
videojuegos.*

moobs *abrev.*
(man + boobs)
Es el nombre que reciben los
pechos de un hombre cuando
parecen de mujer.

—*I heard soy milk causes **moobs**.*
• *Dicen que la leche de soja hace
que a los hombres les crezcan tetas.*

mosh [USA] *v., n.*
POGO
El **mosh** es una forma de bailar
en conciertos de punk o metal
que consiste en saltar y empujar a
la gente al ritmo de la música.

—*Fuck, I lost my phone! It must
have fallen out of my pocket at the
concert when I was **moshing**.* •
*¡Mierda, he perdido el teléfono! Se
me habrá caído del bolsillo en el
concierto cuando estaba haciendo
pogo.*

muck around [UK] *v.*
NO HACER NADA, VAGUEAR,
PERDER EL TIEMPO

—*It's been a long time since last
had a day and **muck around**
the house.* • *Hace mucho que no
me quedo un día en casa sin hacer
nada.*

muff *n.*
CHOCHO, PELOS DEL CHOCHO

—*Marge should shave her **muff**.* •
Marge debería hacerse un brasileño.

muff diver *n.*

COMECHOCHOS (una mujer)

—*I've known I was a **muff diver** ever since I saw Lucy Lawless play Xena.* • *Me di cuenta de que era una comechochos cuando vi a Lucy Lawless interpretar a Xena.*

Además de la palabra más estándar (**lesbian**) y de la algo más informal **dyke**, hay expresiones muy vulgares, como **muff diver** o **carpet muncher**, para referirse a las lesbianas. **Fudge packer** y **cocksucker** son los equivalentes masculinos. ¡Mucho cuidado al usarlas, ya que son muy ofensivas!

mug *n.*

1 EMPANADO/A DE LA VIDA, MELÓN

—*You **mug**! Claire's been two-timing you for ages.* • *¡Eres un empanado de la vida! Claire lleva siglos poniéndote los cuernos.*

2 CARETO

—*He's got a **mug** only a mother could love.* • *Ese careto tan feo solo puede gustarle a una madre.*

muggins *n.*

EL MENDA

—*He called me every name in the book, and **muggins** here just grinned and bore it.* • *Me llamó de todo, y aquí el menda sonrió y se aguantó.*

munch *v.*

PICAR, PAPEAR

—*Do you have anything to **munch** during the movie?* • *¿Tienes algo para picar mientras vemos la película?*

muscle Mary *n.*

MUSCULOCA, LOCA DE GIMNASIO

—*That bar is for the bears, and here's where all the **muscle Marys** go.* • *Ese bar es para osos, y este es donde van todas las musculocas.*

muso *n.*

Friqui de la música con gustos minoritarios y reacio a escuchar música comercial.

—*Where's John? // Probably down at the record shop with all his **muso** friends.* • *¿Dónde está John? // Seguro que en la tienda de discos con colegas suyos, friquis de la música como él.*

my ass! [USA] *interj.*

¡Y UNA MIERDA!

—*I'm coming over whether you like it or not. // **My ass!*** • *Yo voy, te guste o no. // ¡Y una mierda!*

COMO SIEMPRE, LA VERSIÓN BRITÁNICA ES MY ARSE!

DESPITE HAVING ONE OF THE MOST LUCRATIVE FASHION AND FRAGRANCE EMPIRES IN THE WORLD, MR. ARMANI HASN'T QUITE GRASPED THE IDEA THAT NUT HUGGERS ON THE BEACH ARE A BIG NO-NO AT ANY AGE, WHETHER YOU'RE ITALIAN OR NOT.

AUNQUE TENGA UNO DE LOS EMPORIOS DE MODA Y FRAGANCIAS MÁS LUCRATIVOS DEL MUNDO, EL SR. ARMANI SIGUE SIN PILLAR QUE EN LA PLAYA NINGÚN HOMBRE DE NINGUNA EDAD DEBE LLEVAR MARCAPACAS, POR MUCHO QUE SEA ITALIANO

nail _v._

TIRARSE A ALGUIEN

—*Did you **nail** that girl from the club? She was giving you all the signs.* • *¿Te tiraste a esa tía de la disco? La tenías en el bote.*

nasty (the) _n._

GUARRADAS, GUARRERÍAS ESPAÑOLAS, GUARREO, CERDEO

—*I heard you walked in on a couple doing **the nasty** in the men's fitting room.* • *Me han dicho que te encontraste a una pareja haciendo guarradas en el probador de hombres.*

naughty bits [UK] _n. pl._

PARTES, PARTES NOBLES

—*With those new full-body airport scanners, will they be able to see my* ***naughty bits?*** • *¿Con esos escáneres nuevos de cuerpo entero de los aeropuertos podrán ver mis partes?*

neato [USA] _interj._

MOLA

—*Look, a purple tux!* ‖ ***Neato***. • *¡Mira, un esmoquin violeta!* ‖ *Mola.*

neck _v._

MORREARSE, ENROLLARSE

—*You know you're not a teenager anymore when a second date involves nookie, not **necking**.* • *Uno se da cuenta de que ha crecido cuando en la segunda cita echa un polvo y no solo se da unos morreos.*

nice one! _expr._

¡PERFECTO!

—*Mark: Edward, I got you a drink.* ‖ *Edward: **Nice one!*** • *Mark: Edward, te he pillado una bebida.* ‖ *Edward: ¡Perfecto!*

nipply _adv._

Juego de palabras con **chilly** (frío) y **nipple** (pezón). Adivina: cuando hace frío, ¿qué les pasa a los pezones?

—*It's a tit bit **nipply** out, wouldn't you say?* • *Hace tanto frío que empitona. ¿Tú también tienes frío?*

no joy! [UK] *expr.*
¡FATAL!, ¡UN DESASTRE!

—*How'd it go yesterday?* // ***No joy!*** • *¿Qué tal fue ayer?* // *¡Fatal!*

no shit *expr.*
1 ¿TÚ QUÉ CREES?, ¿A TI QUÉ TE PARECE?, ¡PUES CLARO!

—*Friend: Are you hurt?* // *Bleeding man:* ***No shit!*** • *Amigo: ¿Te duele?* // *Herido que sangra: ¿Tú qué crees?*

No shit! es una respuesta sarcástica a alguien que dice algo obvio. La entonación tiene que ir cargada de ironía. Si de verdad quieres calar hondo y hacer que la persona se sienta como un idiota integral, puedes decir **No shit, Sherlock!** En otras palabras, que no ha hecho falta ser Sherlock Holmes para ver lo que pasa.

2 ¡NO JODAS!

—*Lindsay: Someone went postal at work today and pulled out a gun. Kyle:* ***No shit!*** *Was anybody hurt?* • *Lindsay: En el trabajo uno se ha vuelto loco y ha sacado una pistola. Kyle: ¡No jodas! ¿Ha habido algún herido?*

A diferencia del tono sarcástico del **No shit!** del ejemplo de más arriba, este **No shit!** debe gritarse con cara incrédula y los ojos abiertos de par en par.

not all that (be) *loc.*
NI FU NI FA, NO SER GRAN COSA, NO SER NADA DEL OTRO MUNDO

—*Did you check out that new restaurant on 5th?* // *Yeah, the decoration was nice, but the food* ***wasn't all that.*** • *¿Fuiste al restaurante nuevo de la calle 5?* // *Sí, la decoración estaba bien, pero la comida, ni fu ni fa.*

not all there (be) *loc.*
CHOCHEAR, ESTAR GAGÁ, ESTAR UN POCO PA'LLÁ

—*I love my grandma to pieces, but she's* ***not all there*** *anymore.* • *Adoro a mi abuela con toda mi alma, pero ya empieza a chochear un poco.*

NTMU, NTMY *abrev.* (nice to meet you)
ENCANTADO/A DE CONOCERTE

—*In a chat room: My name's Shawn.* // ***NTMU.*** *I'm Marco.* • *En un chat: Me llamo Shawn.* // *Encantado, yo soy Marco.*

'nuff said *expr.* (enough said!)
¡BASTA YA!, ¡BASTA!

—*Kid 1: He started it!* // *Kid 2: No, he started it!* // *Principal:* ***'Nuff said!*** *Detention for both of you!* • *Niño 1: ¡Ha empezado él!* // *Niño*

2: *¡No, ha empezado él!* ‖ *Director: ¡Basta ya! ¡Castigados los dos!*

number one / number two *loc.*
AGUAS MENORES / AGUAS MAYORES

—*Kyle: I'm going to the bathroom.* ‖ *Lindsay:* **Number one** *or* **number two?** • *Kyle: Voy al lavabo.* ‖ *Lindsay: ¿Aguas menores o aguas mayores?*

numero uno *loc.*
UNO/A MISMO/A, SÍ MISMO/A

—*Do you think Mike's being sincere or is he just looking out for* **numero uno?** • *¿Crees que Mike dice la verdad o solo mira por sí mismo?*

nut huggers *n.*
MARCAPACAS

Pantalones (o bañador) muy estrechos que llevan algunos hombres. A menudo se asocia **nut huggers** con los pantalones cortos que llevaban los jugadores de basket de los ochenta.

—*Despite having one of the most lucrative fashion and fragrance empires in the world, Mr. Armani hasn't quite grasped the idea that* **nut huggers** *on the beach are a big no-no at any age, whether you're Italian or not.* • *A pesar de tener uno de los emporios de moda y fragancias más lucrativos del mundo, el Sr. Armani sigue sin pillar que en*

la playa ningún hombre de ninguna edad debe llevar marcapacas, por mucho que sea italiano.

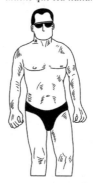

nutcase, nutjob *n.*
PIRADO/A, TARADO/A

—*To some, George Bush was a hero. To others, he was a* **nutcase** *who lost all grip on reality.* • *Para algunos, George Bush era un héroe. Para otros, era un pirado que perdió todo contacto con la realidad.*

nuts
1 *adj.* LOCO/A, PIRADO/A

—*Karaoke? You're* **nuts** *if you think I'm going to sing in front of a big group of people.* • *¿Karaoke? Tú estás loco si crees que voy a cantar delante de toda esa gente.*

2 *n. pl.* PELOTAS, HUEVOS

—*Get fresh with me, and I'll kick you in the* **nuts.** • *Como te pongas chulito conmigo, te doy una patada en los huevos.*

obamafuscate [USA] *v.*

Juego de palabras con **obfuscate** (confundir) y Barack Obama. La usan los republicanos para expresar la forma en que los políticos (sobre todo Obama, según ellos) tergiversan la realidad para ocultar sus defectos.

—*Citizen to politician at a town hall meeting: Cut the crap. Stop* **obamafuscating** *and answer the damn question.* • *Un ciudadano a un político en un mitin en un ayuntamiento: Corte el rollo. No se me vaya por las obamas y responda la maldita pregunta.*

odd duck *n.*

MÁS RARO/A QUE UN PERRO VERDE, BICHO RARO, FRIQUI

—*Kyle: So, I had this dream where I went to the supermarket and ate all the pickles before taking out my banjo and... // Lindsay: You're an* **odd duck**, *you know that, right?* • *Kyle: Pues, soñé que iba al supermercado y me comía un montón de encurtidos antes de sacar el banjo y... // Lindsay: Tío, eres más raro que un perro verde.*

off one's face *loc.*

HASTA EL CULO, COLOCADO/A

—*He was so* **off his face**, *he didn't even know his own name.* • *Iba hasta el culo. No se acordaba ni de su nombre.*

UN PAR DE SINÓNIMOS: OFF ONE'S HEAD, OFF ONE'S TITS

off one's rocker *loc.*

MAL DE LA CABEZA, CHALADO/A, ZUMBADO/A, COMO UNA CABRA, FATAL

—*You're* **off your rocker** *if you think I'm going to let you waltz in here and do whatever you please.* • *Estás mal de la cabeza si piensas que te voy a dejar campar a tus anchas y hacer lo que te dé la gana.*

OFF YOUR BOX, OFF YOUR CHUMP Y OFF YOUR TROLLEY SON ALGUNAS DE LAS MUCHAS ALTERNATIVAS QUE OFRECE LA LENGUA INGLESA

oi! [UK] *interj.*

¡EH!

—*As I was cycling home today a chav on the pavement shouted "**Oi** mate, what are you doing round here?" "Taking a short cut on my way to Buckingham Palace." I said back.* • *Hoy, cuando volvía a casa en bici, un quillo que había en la calzada me ha gritado: "¡Eh, tío! ¿Qué haces por aquí?" Le he contestado: "He cogido un atajo para el palacio de Buckingham."*

once-over *n.*

REPASILLO, VISTAZO

—*Wilson: Johnson, can you give my report a quick **once-over** before I turn it in? ‖ Johnson: Sure, but you'll owe me a pint.* • *Wilson: Johnson, ¿le puedes echar un repasillo rápido a mi informe antes de que lo entregue? ‖ Johnson: Claro, pero me deberás una cerveza.*

oral *n.*

SEXO ORAL, MAMADA

—*That was the best **oral** of my life!* • *¡Ha sido la mejor mamada de mi vida!*

OTT *abrev.*
(over the top)

PASARSE (DE LA RAYA), PASARSE (TRES PUEBLOS)

—*The invitation said "black tie", but don't you think a top hat is a little **OTT**?* • *En la invitación ponía "esmoquin", ¿pero no crees que un sombrero de copa ya es pasarse un poco?*

over my dead body *expr.*

NI MUERTO/A, NI LOCO/A, NI HARTO DE VINO, POR ENCIMA DE MI CADÁVER

—*Husband: Why don't you put on that white dress of yours? ‖ Wife: White after Labor Day? **Over my dead body!*** • *Marido: ¿Por qué no te pones el vestido blanco? ‖ Mujer: ¿Después del Día de los Trabajadores? ¡Por encima de mi cadáver!*

En Estados Unidos y Canadá, el día de los trabajadores es el primer lunes de setiembre, cuando el verano toca a su fin. Como el color blanco se asociaba al verano, no estaba bien visto ir de blanco después de agosto. Por eso en el ejemplo anterior la mujer dice que no se pondrá el vestido ni muerta.

over the hill *loc.*

MADURITO/A

Referido a los mayores de 40.

—*Who are you calling **over the hill**? Forty is the new thirty!* • *¿A quién llamas madurito? ¡Los cuarenta de ahora son los treinta de antes!*

package *n.*

PAQUETE

—Even through his pants, the size of his **package** is unmistakable. • Incluso a través de los pantalones, el tamaño de su paquete es inconfundible.

pack heat [USA] *loc.*

LLEVAR (UNA) PIPA, IR ARMADO/A

—There's no such thing as a gangster who's not **packing heat**. It's part of the uniform. • Todos los gángsters llevan pipa. Forma parte del uniforme.

pants [UK]

1 *adj., n.* BAZOFIA, BASURA, MIERDA

—The first half of the film was **pants**, but it picked up towards the end. • La primera parte de la peli fue una bazofia, pero mejoró hacia el final.

2 *interj.* ¡MIERDA!

—**Pants**! What are we going to do now? • ¡Mierda! ¿Y ahora qué hacemos?

party waiting to happen (a) [USA] *loc.*

ALGO O ALGUIEN ÚNICO Y MUY EMOCIONANTE

—Ad: Every bottle of our signature sangria is **a party waiting to happen**. • Anuncio: Cada botella de nuestra sangría de autor es una experiencia única y muy emocionante.

pasting [UK] *n.*

PALIZA, SOMANTA

—Don't say anything. I'm in for a right **pasting** if they ever find out it was me. • No digas nada. Me darán una paliza si se enteran de que he sido yo.

paws *n. pl.*

MANOS (literalmente, las garras de los animales)

—We've been married 15 years, and my husband still can't keep his **paws** off me. //Lucky you! • Llevamos 15 años casados, y mi marido sigue sin poder quitarme las manos de encima. //¡Pues qué suerte tienes!

PDA [USA] *abrev.*
(public displays of affection)
CARANTOÑAS EN PÚBLICO

—*What's with all this **PDA**? Can't they just get a room?* • *¿Qué son tantas carantoñas en público? ¡A sobarse a su casa!*

pecker *n.*
1 [USA] RABO

—*Nude beach? No way! My **pecker**'s not for the world to see.* • *¿Una playa nudista? ¡Ni de coña! Mi rabo no lo ve cualquiera.*

2 keep your pecker up! [UK] *interj.*
¡QUE NO DECAIGA!

—***Keep your pecker up!*** • *¡Ánimo! ¡Que no decaiga!*

Cuidado si usas esta expresión delante de norteamericanos. George Bernard Shaw dijo que los Estados Unidos y Gran Bretaña son dos países divididos por una misma lengua, y no se nos ocurre un ejemplo mejor. Mientras que un británico entendería que le estás dando ánimos, para un americano significa algo así como "¡Mantén la erección!"

pencil pusher *n.*
Un **pencil pusher** es una persona muy gris que tiene un trabajo tan o más aburrido que él.

—*I'd rather live on the street than become an 8-to-5 **pencil pusher**.* • *Prefiero vivir en la calle que meterme a chupatintas.*

penny dropped (the) *expr.*
PILLAR DESPUÉS DE UN RATO ALGO MUY SENCILLO

—*It took an hour of explaining, but **the penny** finally **dropped**.* • *Necesitó una hora de explicaciones, pero al final lo pilló.*

piece of me (a) [USA] *n.*
PELEA

—*Bar customer: I said leave the lady alone. // Typical bar brawler: You want **a piece of me**? Well, I'll give you **a piece of me**.* • *Cliente del bar: He dicho que dejes a la señorita en paz. // Típico follonero de bar: ¿Quieres pelea? Pues tendrás pelea.*

piss in the wind *loc.*
1 PREDICAR EN EL DESIERTO, HABLARLE A UNA PARED

—*Mandy, you need to tell your boyfriend to get his act together. // You think I haven't tried?! It's like **pissing in the wind**.* • *Mandy, dile a tu novio que se controle. // ¿Qué te crees, que no lo he intentado? Pero es como predicar en el desierto.*

2 TOCARSE LOS HUEVOS,
NO ECHAR UN PALO AL AGUA

—*Wilson: Quit **pissing in the
wind** and get something done,
will ya? The report's not going to
write itself.* // *Johnson: Grrrr....* •
*Wilson: Deja de tocarte los huevos y
haz algo. Que el informe no se va a
escribir solo.*

pleb [UK] *n.*
CURRELA, CURRANTE

—*I'd never be friends with a **pleb**
and vice versa.* • *Yo nunca sería
amigo de un currela, ni él de mí.*

plums *n. pl.*
PELOTAS, HUEVOS, PAQUETE

—*Where does he find scants to fit
plums that big?* • *¿Dónde encuen-
tra gayumbos en los que quepan esas
pelotas tan grandes?*

Como con todas las partes
íntimas, hay muchos sinónimos
para "testículos": **balls,
bollocks, the boys, nuts,
nuggets, nads, goolies,
acorns, apples, eggs, the
family jewels, the crown
jewels, tackle, potatoes** y **tea-
bags**. Esta última, además, da
nombre a la práctica sexual del
teabagging, que consiste en ir
bajando y metiendo los **plums**
en la boca del/de la partenaire...
Por si te interesan estas cosas.

poof juice *n.*
Bebida con poco alcohol; poco
indicada, por tanto, para los muy
machos. **Poof** o **poofter** son tér-
minos despectivos para hombres
homosexuales.

—*Real men drink beer and hard
liquor. Anything else is **poof juice**.*
• *Los hombres de verdad beben
cerveza y destilados. Cualquier otra
cosa es para nenazas.*

porker *n.*
GORDO/A

—*Classified ad: Beached whale
seeks peppy **porker** for friendship
and more.* • *Anuncio clasificado:
Ballena varada busca gordo con
garra para amistad y más cosas.*

porkies [UK] *n. pl.*
TROLAS, BOLAS

—*He can't open his mouth without
spewing out a shedload of **porkies**.*
• *Es incapaz de abrir la boca sin
soltar una sarta de trolas.*

POV *abrev.*
(point of view)
CÁMARA SUBJETIVA

—*So, who's behind the camera?
A guy or a girl?* // *No clue. The
whole thing was shot **POV**, so you
never actually find out.* • *¿Quién
hay detrás de la cámara? ¿Un chico
o una chica?* // *Ni idea. Se rodó todo
con cámara subjetiva, así que no se
puede saber.*

Más allá de los usos habituales de **POV**, hoy en día se utiliza mucho en el mundo del cine porno para hacer referencia a una película grabada desde la perspectiva de la persona que recibe la "acción".

pretty penny (a) *n.*
MUY CARO/A, UNA PASTA, UN PASTÓN, UN PASTIZAL

—*Silly mistakes can cost you **a pretty penny**.* • *Los errores tontos te pueden costar muy caro.*

props *acrón.*
(proper respect)
RESPETAZO

—*The turnout at the concert may not have been as good as we expected, but we still ought to give **props** to the team for all their hard work in organizing it.* • *Al concierto no acudió tanta gente como esperábamos, pero el equipo merece respetazo por haberse currado tanto la organización.*

pukka [UK] *adj.*
1 AUTÉNTICO/A, GENUINO/A, DE PRIMERA

—*All these eating places round here are just tourist traps. If you like, I can show you some real **pukka** restaurants to eat where they don't charge you a fortune.* • *Todos estos sitios para comer por aquí no son más que turistadas caras. Yo, si quieres, te puedo enseñar algunos restaurantes bastante más auténticos y económicos.*

2 GENIAL, MAGNÍFICO/A

—***Pukka** car, mate!* • *¡Un coche genial, tío!*

El origen de **pukka** lo encontramos en una palabra hindi del siglo XVII, *pakka*, que significa "cocinado", "maduro", "a punto".

pull a + nombre propio *loc.*
HACER ALGO TÍPICO DE ALGUIEN, PONERSE A LO

—*You look exhausted! ‖I am. I was up all night arguing with my husband. He decided **to pull a** George Bush and start a fight over what he thought was there, not what was really there.* • *¡Pareces agotada! ‖ Es que lo estoy. Me he pasado toda la noche despierta discutiendo con mi marido. Se puso a lo George Bush y empezó una discusión sobre si lo que él creía en realidad existía o no.*

pull (on the) [UK] *loc.*
INTENTANDO PILLAR CACHO, DE CAZA, DE LIGOTEO

—*Uni disco + Saturday night = 500 students **on the pull**.* • *Discoteca de la uni + sábado noche = 500 estudiantes intentando pillar cacho.*

QTM <small>*abrev.*</small>
(quick tell me)
DISPARA, DÍMELO YA

—*SMS: U here d news bout Allan? If so, **qtm**!* • *SMS: ¿Sbes lo último d Allan? Si es k sí, dispara.*

quads <small>*n. pl.*</small>
CUÁDRICEPS

—*Wanna go grab a burger? // No, I'll catch you guys later. I'm gonna hit the gym for a session of **quads**.* • *¿Te vienes a por una hamburguesa? // No, os veo luego, tíos. Me voy al gimnasio a meterme una sesión de cuádriceps.*

quarterback <small>*v.*</small>
DIRIGIR, LIDERAR

—*Aight people, let me **quarterback** you through this one.* • *Ok, tíos, dejad que os dirija en esto.*

queif, qweef <small>*n., v.*</small>
PEDO VAGINAL

—*Girl 1: How was your first time? // Girl 2: Oh, it was dreaful. I couldn't stop **quiefing** the whole way through.* • *Chica 1: ¿Cómo fue tu primera vez? // Chica 2: Oh, fue horrible. No podía parar de tirarme pedos vaginales.*

QT <small>*abrev.*</small>
(cutie)
QUE ESTÁ COMO UN QUESO, QUE ESTÁ COMO QUIERE

—*SMS: U see dat new guy in "Glee"? Total **QT**!* • *SMS: ¿Hs visto al nuevo d "Glee"? ¡Está como kiere!*

queer bait <small>[USA] *n.*</small>
Un **queer bait** es un heterosexual que atrae a los gays, a menudo porque parece gay aunque él diga que no lo es.

—*One gay to another: Careful when you to France. There's **queer bait** everywhere you look.* • *Un gay le dice a otro: Cuidado si vas a Francia. Ahí parece que todos los tíos entienden.*

quids in (be) <small>[UK] *loc.*</small>
FORRARSE

—*If he can manage to land this new client, he'll be **quids in**.* • *Si consigue a este cliente nuevo, se forrará.*

rank *adj.*

APESTOSO/A, ASQUEROSO/A

—*Man, this place smells **rank**. When's the last time you opened a window?* • *Tío, este sitio huele que apesta. A ver si abres la ventana de vez en cuando.*

ratty *adj.*

1 A LA QUE SALTA, DE MALA LECHE [UK]

—*Joan's been **ratty** all week. What's crawled up his arse?* • *Joan está a la que salta y lleva toda la semana así. ¿Qué coño le pasa?*

2 GASTADO/A [USA]

—*Her **ratty** but expensive clothes revealed she had seen better days.* • *Su ropa gastada pero cara daba a entender que había vivido épocas mejores.*

readies (the) [UK] *n. pl.*

LA PASTA, LA GUITA

—*Poker time. Okay, mates, get ready to shell out **the readies**.* • *Hora de jugar al póquer. Va, colegas, preparaos para soltar la pasta.*

real deal (the) *n.*

EL/LA AUTÉNTICO/A, EL/LA MEJOR

—*This is no copy. This one's **the real deal**.* • *Esto no es una imitación. Es el auténtico.*

ride *n.*

POLVO

—*Who says there's no such thing as sex after marriage? For our anniversary, my wife gave me the **ride** of my life.* • *¿Quién dice que no hay sexo después del matrimonio? Para nuestro aniversario, eché el polvo de mi vida con mi mujer.*

ringpiece [UK] *n.*

OJETE

—*That constant scowl makes him look like he's got a cactus up his **ringpiece**.* • *Siempre va con el ceño fruncido. Parece que le hayan metido un cactus por el ojete.*

rip it up *loc.*

ANIMAR ALGO, SER LA BOMBA, SER EL PUTO AMO

—*Co-worker 1: He's always so*

*quiet in the office. Who would've guessed that John can **rip it up** on the dance floor? // Co-worker 2: Nothing like the Christmas party to reveal someone's true side.* • *Trabajador 1: En la oficina John está siempre tan calladito, que nadie habría imaginado que en la pista de baile es el puto amo. // Trabajador 2: No hay nada como la fiesta de Navidad para descubrir cómo es en realidad la gente.*

ripped *adj.*

MAZAS, CUADRADO/A, CACHAS, MACIZO

*—Cristiano Ronaldo may be **ripped**, but his personality is still a fuckin' big turn-off.* • *Vale que Cristiano Ronaldo está mazas, pero con su carácter lo jode todo.*

rocket science *adj.*

FÍSICA CUÁNTICA

*—Mom, making toast isn't **rocket science**. I can handle it.* • *Mamá, para hacer una tostada no hace falta saber física cuántica. Ya me las apañaré.*

rollicking

1 *n.* LA DEL PULPO, BRONCA

*—After five years of marriage, almost anything you'll do will earn you a **rollicking**.* • *Después de cinco años de matrimonio, hagas lo que hagas casi siempre te cae la del pulpo.*

2 *adv.* PERO QUE MUY

En este caso tiene una función intensiva.

*—We had a **rollicking** good time on holiday.* • *En las vacaciones lo pasamos de puta madre.*

rude bits [UK] *n. pl.*

BAJOS, PARTES NOBLES

*—The paparazzi photographed him as the good Lord made him, **rude bits** and all.* • *Los paparazzis lo fotografiaron como vino al mundo, con los bajos al aire y todo.*

En inglés (como en tantas otras lenguas) hay una enorme cantidad de eufemismos para referirse a los genitales masculinos y femeninos. Algunos de los más frecuentes para el órgano masculino son **dick**, **schlong**, **cock**, **knob**, **prick**, **willie**, **wiener**, **man meat**, **Johnson**, **knob**, **package**, etc. La lista es también larga para referirse a su homólogo femenino: **cooter**, **snatch**, **pussy**, **beaver**, **box**, **vag**, **twat**, **cooze**, etc.

runs (the) *n. pl.*

CAGALERA

*—All that spicy food gave me **the runs**! I'm never going out for Mexican again.* • *Tanta comida picante me dio cagalera. No voy a volver nunca más a un mexicano.*

SHE HAD ONE TOO MANY TEQUILA SHOTS AND ENDED UP SPEWING ALL OVER THE BACK SEAT OF MY CAR • SE TOMÓ MÁS CHUPITOS DE TEQUILA DE LA CUENTA Y ACABÓ ECHANDO LA RABA POR TODO EL ASIENTO TRASERO DE MI COCHE

sack *n.*

PELOTAS, HUEVOS

—*She kicked him right in the **sack**.* • *Le dio una patada en todas las pelotas.*

same old, same old *expr.*

LO (MISMO) DE SIEMPRE, COMO SIEMPRE

—*How's life? //**Same old, same old**.* • *¿Cómo te va la vida? // Como siempre.*

sarky [UK] *adj.* (sarcastic)

SARCÁSTICO/A

—*Why do people online always have such a **sarky** response for everything?* • *¿Por qué en internet la gente siempre tiene respuestas tan sarcásticas para todo?*

scared shitless *adj.*

CAGADO/A

—*They may look confident, but the Republicans are **scared shitless** about losing the election.* • *Puede que parezcan muy seguros de sí mismos, pero los republicanos están cagados ante la posibilidad de perder las elecciones.*

ALGUIEN QUE ESTÉ SCARED SHITLESS TAMBIÉN PUEDE ESTAR SHIT-SCARED O PUEDE SHIT BRICKS

scram! *expr.*

¡LARGO!, ¡PÍRATE!

—***Scram** or I'm gonna beat the living daylights outta ya!* • *¡Pírate o te parto la cara!*

TAMBIÉN SE DICE MAKE TRACKS, BEAT IT, GET (THE FUCK) OUTTA HERE, GET TO FUCK O BUGGER OFF

scuzzy *adj.*

GUARRILLO/A, GUARRETE

—*I'm going to go take a shower. I'm feeling really **scuzzy**.* • *Voy a darme una ducha. Estoy guarrillo.*

sexile *v.*

Echar a un/a compañero/a de habitación para poder practicar sexo con algo de intimidad.

—Kyle: Lindsay, can I stay at your place this weekend? My roommate's girlfriend is in town. // Lindsay: **Sexiled**, eh? • Kyle: Lindsay, ¿puedo quedarme en tu casa este fin de semana? La novia de mi compañero de piso está de visita. // Lindsay: ¿Qué? Te han echado para poder mojar tranquilos, ¿no?

shank *n.*

CUCHILLO CASERO
(jerga carcelaria)

—The prisoner fashioned a **shank** out of a razorblade and an old toothbrush. • El prisionero se fabricó un cuchillo casero con una hoja de afeitar y un cepillo de dientes viejo.

shekels [UK] *n. pl.*

PASTA, DINERO

—I don't have the **shekels** to splurge like I used to. • Ya no tengo pasta para derrochar como antes.

Shekel procede del hebreo *séqel* y significa "siclo", un término histórico que describe la unidad de peso usada entre babilonios, fenicios y judíos.

sherbet [UK] *n.*

COPICHUELA

—Let's go for a quick **sherbet** and then hit the town. • Tomemos una copichuela rápida y luego nos vamos de fiesta al centro.

shit-faced *adj.*

CHUZO/A, PEDO, TAJA

Este es uno más entre los millones de sinónimos que existen de borracho.

—I can hardly remember college. I was **shit-faced** for most of it. Casi no me acuerdo de la universidad. La mayor parte del tiempo estaba mamado.

shit-for-brains *adj., n.*

INÚTIL, ATONTADO/A, IDIOTA

—That **shit-for-brains** assistant of mine forgot all my files, and the presentation is gonna start in just five minutes. • El inútil de mi ayudante se ha olvidado todos mis archivos, y la presentación empieza dentro de cinco minutos.

shithole *n.*

ZULO, PUTO AGUJERO

—That place is a **shithole**. • Ese sitio es un zulo.

shitload *adv.*

MOGOLLÓN, UN MONTÓN, LA TIRA DE, UNA DE

—My grandfather has a **shitload** of cool stories about his time in the war. • Mi abuelo tiene mogollón de historias guays de cuando estuvo en la guerra.

shits (the) *n. pl.*

CAGALERA

—*I've got a horrible case of **the shits**. I swear I'm running to the bathroom every five minutes.* • *Tengo una cagalera horrible. Te juro que tengo que ir corriendo al baño cada cinco minutos.*

shitter (the) *n.*

EL CAGADERO

—*Where's Kyle? // He's on **the shitter**.* • *¿Dónde está Kyle? // En el cagadero.*

shituation *n.*
(shit + situation)

MARRÓN, MOVIDA

—*Um, you might want to come over here. We're having a little **shituation**.* • *Esto… A lo mejor tendrías que pasarte. Tenemos un pequeño marrón.*

shoot off one's mouth *loc.*

SER UN/A BOCAZAS

—*Don't go **shooting off your mouth** or you'll let the cat out of the bag.* • *No seas tan bocazas o descubrirás el pastel.*

shoot one's load *loc.*

CORRERSE, DESCARGAR

—*In college, I donated sperm for extra cash. Getting paid to **shoot my load**, it doesn't get any better than that!* • *En la facu donaba esperma para sacarme un dinerito extra. ¡Cobrar por correrse es lo más!*

shoot the shit *loc.*

ESTAR DE PALIQUE

—*Wife: So, what did you guys do? // Husband: Nothing, just **shoot the shit** and drink some beer.* • *Mujer: ¿Entonces qué hicisteis? // Marido: Nada, estar de palique y tomarnos unas birras.*

short and curlies *n. pl.*

1 PELAMBRERA, VELLO PÚBICO, EL BARBAS

—*He got crabs and had to shave his **short and curlies**.* • *Como pilló ladillas, tuvo que afeitarse la pelambrera.*

2 to have someone by the short and curlies *loc.*

TENER A ALGUIEN COGIDO/A POR LOS HUEVOS

—*Athlete: Are you done with your science project yet? // High school quarterback: The nerd is doing it for me. I have him by his **short and curlies**.* • *Atleta: ¿Ya has terminado el proyecto de ciencias? // Quarterback: Me lo está haciendo el empollón. Lo tengo cogido por los huevos.*

shrapnel [UK] *n.*

CALDERILLA

—*Sorry, I'm all out of notes, so I'll have to pay in* **shrapnel**. • *Lo siento, no me quedan billetes, tengo que pagarte con calderilla.*

shypod [USA] *adj.*

Cuando a uno/a le da cosa enseñar el contenido de su iPod por miedo a parecer cursi (o por lo que sea).

—*James was all* **shypod** *because he had just downloaded a bunch of disco and Neil Diamond music to his iPod.* • *James no se atrevía a enseñar las canciones de su iPod porque se acababa de descargar un montón de música disco y canciones de Neil Diamond.*

sick *adj.*

1 BRUTAL, LA POLLA

—*The new Xbox is just* **sick**! • *¡La nueva Xbox es la polla!*

2 ASQUEROSO/A, CHUNGO/A

—*Phil kissed her cousin? That's just* **sick**, *man!* • *¿Phil besó a su prima? ¡Qué asqueroso!*

sickie (a) *n.*

DÍA LIBRE POR EL MORRO (SIN JUSTIFICACIÓN MÉDICA)

—*Employee 1: I feel like having a long weekend. Maybe I'll just call in sick on Monday.* || *Employee 2: You can't take* **a sickie** *on a Monday or Friday. It's so obvious!* • *Trabajador 1: Me apetece tomarme un fin de semana largo. A lo mejor llamo el lunes y digo que me encuentro mal.* || *Trabajador 2: No puedes pillarte un día libre por el morro en lunes o viernes. ¡Canta mucho!*

siphon the python *loc.*

CAMBIAR EL AGUA A LAS ACEITUNAS

—*I was on my way to* **siphon the python** *when I heard them gossiping about you.* • *Iba a cambiar el agua a las aceitunas cuando oí que cotilleaban sobre ti.*

six of one, half dozen of the other *expr.*

DAR LO MISMO OCHO QUE OCHENTA, DAR LO MISMO UNA COSA QUE OTRA

—*I was thinking we could go to the mall and get some Japanese. Or we could grab a quick bite and catch a movie.* ||*Ah, it's* **six of one, half dozen of the other**. • *Podríamos ir al centro comercial a por comida japonesa. O podemos comer algo rápido e ir al cine.* ||*Ah, me da lo mismo ocho que ochenta.*

skeeve out *loc.*

DAR ASCO, PONER ENFERMO/A

—*It really* **skeeves** *me* **out** *when guys date girls young enough to be* *their daughters.* • *Me da mucho asco que haya tíos saliendo con chicas tan jóvenes que hasta podrían ser sus hijas.*

skid mark *n.*

PALOMINO

—*After Rudy got caught in the locker room with stained drawers, the team called him **Skid Mark** for the rest of the year.* • *Después de que pillaran a Rudy con los gayumbos manchados en el vestuario, el equipo lo llamó "Palomino" el resto del año.*

skirt *n.*

PIBA, TÍA

—*Dude, check out the **skirt** at 10 o'clock!* • *¡Colega, mira esa piba a las 10!*

skitters (the) *n. pl.*

CAGALERA, DIARREA

—*I can't come in to work today. I've got **the skitters**.* • *No puedo ir a trabajar hoy. Tengo cagalera.*

skive off [UK] *v.*

ESCAQUEARSE

—*Co-worker: Where's Johnson? // Wilson: Probably **skiving off** somewhere.* • *Colega: ¿Dónde está Johnson? // Wilson: Estará por ahí, escaqueándose.*

slag [UK] *n.*

1 PUTILLA, GUARRILLA

—*Put two drinks in her and she becomes a right **slag**.* • *Con dos copas se vuelve más puta que las gallinas.*

2 slag off *v.*

PONER A PARIR, RAJAR

—*Don't you ever, ever **slag me off** in front of my friends again.* • *No vuelvas a ponerme a parir delante de mis amigos.*

slaphead [UK] *n.*

BOMBILLA, CALVOROTA, BOLA DE BILLAR

—*My dad's a **slaphead**, so he always wears a hat.* • *Mi padre es un bombilla, por eso siempre lleva sombrero.*

slum it *loc.*

1 IR DE TIRADO/A

—*You have to admit, **slumming it** on street food is sometimes better than sitting in a five-star restaurant.* • *Hay que reconocer que ir de tirado y comer en chiringuitos de la calle a veces es mejor que ir a restaurantes de cinco tenedores.*

2 MERECER A ALGUIEN MEJOR

—*But that cheerleader is hot! What's she doing **slumming it** with a nerd?* • *Con lo buena que está esa animadora, ¿qué hace con ese friqui?*

smart ass [USA], smart arse [UK] *n.*

LISTILLO/A

—*Give a straight answer and don't be a **smart ass**.* • *Da una respuesta clara y no vayas de listillo.*

snail mail *n.*

CORREO ORDINARIO

—*It's the 21st century. No one in their right mind still uses **snail mail**.* • *Estamos en el siglo XXI. Nadie con dos dedos de frente utiliza el correo ordinario.*

SE LLAMA SNAIL MAIL PORQUE EL CORREO ORDINARIO ES LENTO COMO LOS CARACOLES

snare *v. prnl.*

PILLAR(SE)

—*Within hours of breaking up with Cindy, John had already **snared** himself a new girlfriend.* • *Unas horas después de cortar con Cindy, John ya se había pillado una novia nueva.*

snazzy *adj.*

HECHO UN PINCEL, DE PUNTA EN BLANCO

—*A tuxedo? My, aren't we looking **snazzy**!* • *¿Vas con esmoquin? Joder, ¡vamos hechos un pincel!*

soap dodger *n.*

TIGRE, CHOTUNO, CHOTO

—*Put on some cologne. You don't want to smell like a **soap dodger** on your first day.* • *Ponte un poco de colonia. El primer día no puedes oler a tigre.*

sod all [UK] *loc.*

NI PAPA, NI JOTA, NI PAJOLERA IDEA

—*Mark: Ready for the big date on Friday? || Edward: To tell you the truth, I'm panicking! I know **sod all** about women. It'll be a right disaster!* • *Mark: ¿Estás preparado para la gran cita del viernes? || Edward: Qué va, tío, estoy cagao. No tengo ni papa de mujeres. ¡Va a ser un desastre!*

soppy *adj.*

SENTIMENTALOIDE, SENSIBLERO/A, AMOROSO/A

—*When she broke up with her boyfriend, she spent all day at home listening to **soppy** love songs.* • *Cuando rompió con su novio, se pasaba el día en casa escuchando canciones de amor sentimentaloides.*

sorted [UK] *adj.*

1 HECHO, LISTO

—*Stuart, you've got the tickets and the passports and everything, right? || Yeah, **sorted**! || Okay, let's move.* • *¿Stuart, tienes los* *billetes, los pasaportes y todo, no?* // *Sí, ¡lo tenemos todo!* // *Vale, pues vámonos.*

2 SERVIDO (DE DROGAS)

—*Ring up AJ. He'll help you get **sorted** for tonight's bash.* • *Llama a AJ. Él te ayudará a ir servido a la fiesta.*

3 *interj.* ¡genial!, ¡cojonudo!

—*I got everything we need for our trip.* // ***Sorted!*** • *Tengo todo lo que necesitamos para el viaje.* // *¡Genial!*

sort out [UK] *v.*
DAR UNA PALIZA

—*It took us a while to track the wanker down, but we **sorted** him **out**. He won't be bad-mouthing your sister again any time soon.* • *Nos costó un poco encontrar al capullo, pero le dimos una buena tunda. Tardará en volver a hablar mal de tu hermana.*

sounds *n. pl.*
MÚSICA

—*Hey, dude, cool **sounds**!* • *¡Eh, colega, esta música mola!*

spaz out *v.*
EXPLOTAR, ESTALLAR

—*After being teased for so many months, the class nerd finally **spazzed out** one day.* • *Después de que le fastidiaran durante meses, el friqui de la clase un día explotó.*

Puedes expresar lo mismo con **wig out**, **freak out** *o* **go mental**.

spew *v.*
POTAR, ECHAR LA RABA

—*She had one too many tequila shots and ended up **spewing** all over the back seat of my car.* • *Se tomó más chupitos de tequila de la cuenta y acabó echando la raba por todo el asiento trasero de mi coche.*

spit (out) one's dummy [UK] *loc.*
COGERLE A UNO/A UN BERRINCHE

—*If you're going to **spit out your dummy** over something so minor, what will happen when you have a real problem?* • *Si te va a coger un berrinche por algo tan insignificante, ¿qué pasará cuando tengas un problema gordo de verdad?*

spud *n.*
PAPA, PATATA

—*At a diner: How do you want your **spuds**, love?* // *Give 'em to me mashed.* • *En una cena: Cari, ¿cómo quieres las papas?* // *Como puré, plis.*

stage fright *n.*
PICHA TÍMIDA, GATILLAZO

—*I was pissin' myself, but with John standing right there, I got a huge attack of **stage fright**.*

Nothing came out. • *Me estaba meando, pero como estaba John al lado, me entró un ataque tremendo de picha tímida. No salió nada.*

Normalmente **stage fright** se usa en el sentido de "miedo escénico". Además del caso que ilustra el ejemplo, también se usa cuando uno tiene ganas de tener sexo pero la herramienta en cuestión dice que no, es decir, cuando se produce un "gatillazo".

stir up shit *loc.*

JODER

—*She deliberately twists words to* **stir up shit***. One day it's gonna come back and bite her in the ass.* • *Tergiversa las palabras a propósito para joder. Algún día le saldrá el tiro por la culata.*

strop (in a) [UK] *loc.*

DE MALA LECHE, CABREADO/A, MOSQUEADO/A

—*Not worth talking to Dani today; she's* **in a** *real* **strop***.* • *Mejor que no le hables a Dani hoy; está de mala leche.*

starkers [UK] *adj.*

EN PELOTAS, EN BOLAS

—*He had recurring nightmares about running* **starkers** *through Trafalgar Square.* • *Tenía pesadillas recurrentes en las que corría en pelotas por Trafalgar Square.*

TAMBIÉN **PUEDE DECIRSE** NAKED, STARK NAKED, BUCK NAKED, IN ONE'S BIRTHDAY SUIT, IN THE BUFF, IN THE ALTOGETHER O AU NATUREL

staycation *n.*

VACACIONES EN CASA

—*Money's a bit tight this year, so we'll just do a* **staycation** • *Este año andamos justos de dinero, así que pasaremos las vacaciones en casa.*

steam *v.*

IR A TODA PASTILLA

—*I don't have patience for kids, especially when they are* **steaming** *up and down the stairs!* • *No tengo paciencia con los niños, sobre todo cuando suben y bajan a toda pastilla por las escaleras.*

steaming *adj.*

1 PIRIPI

—*He was really devastated by the break-up. One day, he even went to work* **steaming***!* • *Estaba destrozado por la ruptura. ¡Un día incluso fue al trabajo piripi!*

2 HECHO/A UN BASILISCO

—*I have never seen my dad so*

angry. He was **steaming**. • Nunca había visto a mi padre tan enfadado. Estaba hecho una furia.

3 *adv.* PEDAZO DE

—What are we supposed to do with this **steaming** idiot? • ¿Qué tenemos que hacer con este pedazo de idiota?

STFU *acrón.*
(shut the fuck up)
CÁLLATE COÑO, CÁLLATE DE UNA PUTA VEZ

—On MSN: So, not only did I get a huge pay raise, they also gave me a company car, a new cell phone... // **STFU** already! • En el Messenger: Pues no solo me han subido mucho el sueldo, sino que también me han dado un coche de empresa, un móvil nuevo... //¡Cállate, coño!

sticky fingers *n.*
1 MANGUI, CHORIZO

—**Sticky fingers** over there can't keep his hands out of other people's pockets. • El mangui ese no deja de meter las manos en los bolsillos ajenos.

2 CLEPTOMANÍA

—He's got an acute case of **sticky fingers**. • Tiene cleptomanía aguda.

stroppy [UK] *adj.*
BORDE, DE MALA LECHE

—Almost all teenagers go through a **stroppy** phase. • Casi todos los adolescentes pasan una etapa borde.

stump up [UK] *v.*
SOLTAR, APOQUINAR

—He grudgingly **stumped up** $40 to pay his parking ticket. • Soltó de mala gana los 40 dólares de la multa por aparcar donde no debía.

sugar high, sugar rush [USA] *n.*
SUBIDÓN DE AZÚCAR

—My post-Halloween **sugar high** lasted for weeks. • Después de Halloween, el subidón de azúcar me duró varias semanas.

En Halloween los niños estadounidenses van por las casas del barrio haciendo la ronda de **trick-or-treating**. En plan broma, amenazan con gastar jugarretas a los vecinos que no les den chuches. Como todos les dan, los padres no pueden evitar que se den un atracón con el consecuente subidón de azúcar.

swipe [USA] *v.*
MANGAR, CHOLAR

—Someone **swiped** my wallet. • Alguien me ha mangado la cartera.

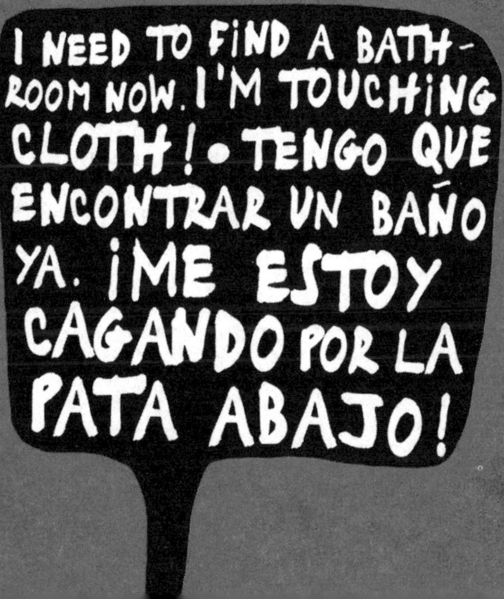
I NEED TO FIND A BATH-
ROOM NOW. I'M TOUCHING
CLOTH! • TENGO QUE
ENCONTRAR UN BAÑO
YA. ¡ME ESTOY
CAGANDO POR LA
PATA ABAJO!

ta, tar [UK] *expr.*

GRACIAS

—*Ta!* // Welcome! • ¡Gracias! //
¡De nada!

take a chill pill *expr.*

RESPIRA HONDO, TÓMATE
UNA TILA, RELÁJATE

—*Take a chill pill* and come back
in five. • Respira hondo y vuelve
dentro de cinco minutos.

take a leak [USA] *loc.*

MEAR

—*You should have seen her face
when the dog **took a leak** all over
her brand new carpet. It wasn't
even in there a day!* • No veas la
cara que puso cuando el perro se
puso a mear en la alfombra nueva.
¡No hacía ni un día que la tenía!

talk someone's ear off *loc.*

TALADRAR, RALLAR

—*Ed: My phone's ringing. Shit,
it's Johnson. // Mark: Don't
answer! He'll just **talk your ear
off** about work problems.* • Ed:
Me llaman. Mierda, es Johnson. //
Mark: ¡No respondas! Te va a
taladrar con problemas del curro.

tat *n.*

1 TATU

—*He's always wearing sleeveless
shirts to show off his **tats**.* • Siem-
pre lleva camisetas sin mangas para
fardar de tatus.

2 [UK] MIERDA, PORQUERÍA

—*Throw those shoes out already.
They're **tat**.* • Tira ya esos zapa-
tos. Están hechos una mierda.

that's rich *expr.*

MIRA QUIÉN FUE A HABLAR

—*Mark: I think you've had one
pint too many. // Edward: **That's
rich** coming from a boozer like
you.* • Mark: Creo que has tomado
una cerveza de más. // Edward:
¡Mira quién fue a hablar! El que no
para de beber.

third wheel [USA] *n.*

AGUANTAVELAS, SUJETAVELAS

—*If you're bringing your girlfriend
along, I'm bringing someone too. I*

*don't wanna be a **third wheel**. •
Si te traes a la novia, yo también
traeré a alguien. No quiero ir de
aguantavelas.*

threads *n. pl.*
TRAPOS, ROPA

—*Kyle: Those are some sweet
threads you have on. || Lindsay:
Thanks, I got them at this cool
second hand place down on Wash-
ington. • Kyle: Esos trapos que
llevas molan. || Lindsay: Gracias,
me los compré en una tienda de
ropa de segunda mano de la calle
Washington.*

thunder thighs *n.*
1 MUJER JAMONA (con los mus-
los gordos)

—*The store just hired a few **thun-
der thighs** to model in its "Real
Women" campaign. • La tienda
acaba de contratar a unas cuantas
mujeres jamonas para la campaña
"Mujeres reales".*

2 MUSLOS JAMONES

—*Whenever I see her **thunder
thighs**, I'm suddenly reminded of
cottage cheese. • Cuando veo esos
muslos jamones, me recuerda un
requesón.*

ticker *n.*
CORAZÓN

—*Grandson: Gramps, you still look
great for your age. || Grandfather:*

*You will too. Strong **tickers** run
in the family. • Nieto: Yayo, tienes
muy buen aspecto para tu edad.
|| Abuelo: Tú también lo tendrás.
En esta familia tenemos el corazón
fuerte.*

tight *adj.*
GUAY, CHULO/A

—*This mobile is **tight**. • Es chulo
este móvil.*

tip off *v.*
CHIVARSE

—*They were all caught cheating
on their exam, because someone
tipped off the professor. • Pilla-
ron a todos haciendo trampa en el
examen porque alguien se chivó al
profesor.*

tl, dr *abrev.*
(too long, didn't read)
DEMASIADO LARGO,
NO LO LEÍ

—*SMS 1: What u think of d
article I sent u? || SMS 2: tl, dr.
• SMS 1: ¿Qué t parece l art q t
mandé? || SMS 2: dl, nl*

to beat 60 [USA] *loc.*
A TODA LECHE, A TODA
PASTILLA

—*She was talking **to beat 60**.
I couldn't make out a single word.
• Hablaba a toda leche. No
entendí ni una palabra.*

tod (on one's) [UK] *loc.*

SOLO/A, SOLANO/A, MÁS
SOLO QUE LA UNA, TIRADO/A

—*Barman: Ey, Mark. Where's
Edward? // Mark: He's left me here
to nurse the pints* **on my tod**. •
*Camarero: Eh, Mark. ¿Dónde está
Edward? // Mark: Me ha dejado
aquí tirado aguantando las birras.*

EN ESTE CASO LOS NORTEAMERICANOS
DIRÍAN ON MY LONESOME
O BY MY LONESOME

top-notch *adj.*

ESPECTACULAR, BRUTAL

—*The cheerleaders stole the show
with their* **top-notch** *performance
at the pep rally.* • *Las animadoras
acapararon todos los aplausos con
su espectacular actuación en la
concentración estudiantil.*

tops

1 *adj.* GENIAL, EXCELENTE

—*The boss said your work on the
marketing report was really* **tops**. •
*El jefe ha dicho que hiciste un trabajo
genial con el informe de marketing.*

2 *adv.* MÁXIMO

—*I'll wait for you till 5,* **tops**. •
Te esperaré como máximo hasta las 5.

torch *v.*

PEGAR FUEGO

—*The thieves broke in, stole the
diamonds and then* **torched** *the
place.* • *Los ladrones entraron,
robaron los diamantes y luego pega-
ron fuego al local.*

tosser [UK] *n.*

CAPULLO

—*That bloody* **tosser** *keeps cutting
me off. Who made him king of the
road?* • *Ese capullo de mierda no
para de cortarme el paso. ¿Se cree
que la carretera es suya, o qué?*

totally

1 *adv. de intensidad*

—*I'm like so* **totally** *into him.* •
Este tío me mola que te cagas.

2 *expr.* ¡NI QUE LO DIGAS!,
¡YA VES!

—*Jay is so hot. // **Totally**!* • *Jay
está buenorro. // ¡Ni que lo digas!*

touching
cloth (to be) *loc.*

CAGARSE POR LA PATA ABAJO,
TOCAR TELA

—*I need to find a bathroom now.
I'm* **touching cloth**! • *Necesito
encontrar un baño ya. ¡Me estoy
cagando por la pata abajo!*

trap *n.*

PICO, BOCA

—*Can't you just shut your* **trap**
for five minutes? • *¿No puedes
cerrar el pico ni cinco minutos, o qué?*

tree (out of one's) [UK] *loc.*

HASTA EL CULO, PUESTO/A, FLIPADO/A

—*He was so **out of his tree**, he confused the broom closet for the bathroom*. • *Iba tan hasta el culo que confundió el armario de la escoba con el baño.*

trip *v.*

1 PONERSE COMO UNA MOTO

—*Wanna go out tonight? // Can't, I'm grounded. I came home with a D in algebra, and my parents totally **tripped***. • *¿Salimos hoy? // No puedo. Estoy castigado. He cateado Álgebra y mis padres se han puesto como una moto.*

2 IR PUESTO/A, IR FUMADO/A

—*That was some wild weed you brought, man. I could swear I'm still **trippin'***. • *¡Vaya maría que trajiste tío! Te juro que todavía voy fumado.*

TTFN *abrev.* (ta ta for now)

Este tipo de abreviaturas son habituales sobre todo en chats, emails, sms, etc.

TA LUEG, HASTA LUEGO

—*Gotta go. Catch u l8r. // Ok, **ttfn*** • *Tngo q irme. Ta lueg. // Ok, ta lueg.*

turn-off *n.*

1 UNA COSA QUE TIRA O ECHA PARA ATRÁS

—*Bad breath is a universal **turn-off***. • *El mal aliento siempre echa pa'trás.*

2 turn off *v.*

ECHAR PARA ATRÁS, NO MOLAR NADA

—*It doesn't matter if they're hot. Posh girls really **turn** me **off***. • *Me da igual que estén buenas. Las pijas no me molan nada.*

turn on *v.*

1 PONERSE CACHONDO/A

—*Countless guys are **turned on** by the thought of two women making out*. • *Hay un montón de tíos que se ponen cachondos con solo pensar en dos mujeres morreándose.*

2 turn-on *n.*

ALGO QUE PONE CACHONDO/A

—*For some people, dirty talk is a real **turn-on**. Personally, it just gives me the giggles*. • *Hay gente que se pone cachonda cuando se habla de cosas guarras. A mí me da la risa.*

two ticks (in) *loc.*

EN UN PLIS, EN UN PERIQUETE

—*Wait for me. I'll be there in **two ticks***. • *Espérame. Llego en un plis.*

undercarriage *n.*
GENITALES, LAS PARTES

—To please a woman, you've got to understand the female **undercarriage**. • Para complacer a una mujer, tienes que entender cómo funcionan los genitales femeninos.

Literalmente **undercarriage** es el tren de aterrizaje de un avión.

up for it *loc.*
APUNTARSE, APETECER

—I was thinking of driving down to the beach. You **up for it?** // Yeah, I'm up. • Estaba pensando en ir en coche a la playa. ¿Te apuntas? // Ok.

upper *n.*
PASTI, ANFETA

—My, aren't we perky today? // I took an **upper** a little while ago. • Joder, si que estás contento hoy. //

Es que me he tomado una pas[...] un ratillo.

up shit creek *loc.*
JODIDO/A

—My savings are running ou[...] be **up shit creek** if I don't fi[...] job soon. • Me estoy quedand[...] pasta. Como no encuentre cu[...] rápido, estaré bien jodido.

También puedes decir up t[...] creek, up the swanny o, s[...] situación es muy chunga, u[...] shit creek without a pad[...]

up sticks [UK] *loc.*
CAMBIAR DE AIRES

—When he turned forty, he suddenly quit his job, **upped sticks** and moved abroad. • Cuando cumplió los cuarenta, de repente dejó el curro, cambió de aires y se fue a vivir al extranjero.

En inglés americano se dice **pull up stakes**.

up yours! *interj.*
¡QUE TE DEN!

—High school bully: Move it, nerd. // Class nerd: **Up yours!** I was here first. • El chulo del insti: Aparta, empollón. // Empollón: ¡Que te den! Estaba yo primero.

EN GRAN BRETAÑA TAMBIÉN **PUEDES DECIR** UP YOUR BUM!

vanilla face *n.*
BLANQUITO/A, PALIDUCHO/A

—***Vanilla face*** *over there better watch out. He don't belong in this neighborhood.* • *El blanquito ese que se ande con cuidado. No es de los nuestros.*

Otro término despectivo para referirse a un blanco es **cracker**. El origen de la palabra no está claro. Una teoría apunta al **cracked corn** (maíz partido) que comían los blancos pobres del sur de los Estados Unidos. Otra nos remite a los pioneros de Florida, que hacían chasquear (**crack**) el látigo con el ganado. Y por último, está la teoría de que a los blancos se les llama **crackers** porque las galletas *cracker*, esas que son saladas y a veces llevan granitos de sal, son de color claro.

veggie *n.*
VEGETARIANO/A

—*Me, á* ***veggie****? Heck no! Bring on the meat!* • *¿Vegetariano, yo? ¡Ni de coña! Venga, ¡trae la carne!*

verbal handcuffs *n.*
Literalmente significa "esposas (como las de la poli) verbales". Se usa cuando alguien no deja de hablar (normalmente sobre un tema poco interesante) y encima nos obliga a seguir escuchándolo, a pesar de haberle mandado todo tipo de pistas (miradas al vacío, al reloj, al móbil, etc.) para indicarle que llevamos ya un ratillo desconectados.

—*Have you seen Paula? She had me stuck in* ***verbal handcuffs****, but luckily you came to save me!* • *¿Has visto el rollo que me ha metido Paula? Suerte que has venido a salvarme.*

-ville *suf.*
El sufijo **-ville** (del francés "ciudad") se añade a nombres para intensificar sus cualidades. Por ejemplo, a una ciudad horrorosa la podemos llamar **shitsville** o a algo muy cursi, **cheeseville**.

—*Holy sluts****ville*** *in that short skirt. I can practically see her ass.* • *Vaya guarrilla la de la minifalda. Casi se le ve el culo.*

now. • *En una reunión de Alcohólicos Anónimos: Llevo ya seis meses en el dique seco.*

walking disaster *n.*
CERO A LA IZQUIERDA, DESASTRE CON PATAS

—*When it comes to cooking, my boyfriend is a **walking disaster**.* • *En temas de cocina, mi novio es un cero a la izquierda.*

wallop *v.*
PEGAR, DAR UNA PALIZA, DAR UNA TUNDA

—*My big brother **walloped** me; my dad's brother walloped him, and my grandpa's brother walloped him back to time immemorial.* • *Mi hermano mayor me pegaba a mí. El hermano de mi padre le pegaba a él, y el hermano de mi abuelo le pegaba a él, y así hasta el principio de los tiempos.*

wally [UK] *n.*
TONTOLABA

—*What'd you go spillin' my drink for, you stupid **wally**?* • *¿Por qué coño me has tirado la copa, tontolaba?*

wanger *n.*
IDIOTA

—*Co-worker: Johnson may think all his grumbling about work is cool, but if you ask me, it just*

waffle
1 *v.* ESTAR INDECISO/A, DUDAR

—*Stop **waffling** and make a decision. A or B, what'll it be?* • *Déjate de dudas y toma una decisión. ¿Qué quieres: A o B?*

2 *v.* HABLAR POR HABLAR, HABLAR DE CHORRADAS

—*No one knew what to say, so we just started **waffling**.* • *Nadie sabía qué decir, así que empezamos a hablar por hablar.*

3 *n.* TONTERÍAS, CHORRADAS

—*What the fuck are you saying? All I'm hearing is **waffle**.* • *¿Qué coño dices? No oigo más que chorradas.*

wagon (on the) *loc.*
EN EL DIQUE SECO

—*At an AA meeting: I've been back **on the wagon** for six months*

makes him a **wanger**. // Wilson: C'mon. It's all in good fun. He doesn't really mean it. • Compañero de trabajo: Johnson quizá se cree que quejarse del trabajo mola, pero si te digo la verdad, solo consigue parecer un idiota. // Wilson: Venga... Es todo de broma. En realidad no lo piensa.

wankered [UK] adj.
MUY PEDO, MUY TAJA, MUY CIEGO/A

—Whatever I said last night, I didn't mean it. I was beyond **wankered**. • No te tomes en serio nada de lo que dije ayer. Iba muy pedo.

wank mag [UK] n.
REVISTA PORNO

—His room was truly a lad's room: clothes on the floor, football posters on the wall and a knee-high collection of **wank mags** in the corner. • Tenía la típica habitación de tío: ropa en el suelo, pósters de fútbol en la pared y una montaña de revistas porno en un rincón.

waterworks n. pl.
LAGRIMONES

—She knows exactly how and when to turn on the **waterworks** to get what she wants. • Sabe exactamente cómo y cuándo recurrir a los lagrimones de cocodrilo para conseguir lo que quiere.

wear the pants [USA] loc.
LLEVAR LOS PANTALONES

—My wife definitely **wears the pants** in our house. • Sin duda en casa la que lleva los pantalones es mi mujer.

> En Gran Bretaña se dice **wear the trousers**.

wedding tackle n.
PELOTAS, HUEVOS, COJONES

—Careful with that knee. You're dangerously close to my **wedding tackle**. • Cuidado con esa rodilla. Está peligrosamente cerca de mis pelotas.

weepy
1 adj. LLORICA, LLORÓN

—Honey, don't get all **weepy** on me. I didn't mean it. • Cielo, no te pongas llorica. Ha sido sin querer.

2 n. [UK] DRAMÓN

—Did you ever see "A Walk To Remember"? // No, but I heard it's a **weepy**. • ¿Has visto "Un paseo para recordar"? // No, pero me han dicho que es un dramón.

well hung adj.
BIEN DOTADO

—Your man may be **well hung**, but mine is like a horse. • Tu marido quizás esté bien dotado, pero es que el mío la tiene como un caballo.

wet blanket *n.*

AGUAFIESTAS

—*Let's go to the movies for a change. // No, we have to go to the library and study. We have a test tomorrow. // C'mon, don't. Don't be such a wet blanket.* • *Podemos ir al cine y así variamos un poco. // No, tenemos que ir a la biblioteca a estudiar. Mañana tenemos examen. // Anda ya, vaya aguafiestas.*

whatchamacallit *n.*

TRASTO, LA COSA ESTA

—*Bring me that whatchamacal-lit on the table! // You mean the stapler? // Yes!* • *Pásame el trasto ese de la mesa. // ¿El qué: la grapa-dora? // ¡Sí!*

Cuando no te sale el nombre de una cosa, también puedes decir **thingamabob, thingamabob-ber, dohickey, gizmo, thima-majig, doodad** o **thingy.**

what's-his-face *n.*

COMO-SE-LLAME, EL TÍO ESE

—*Hey, what ever happened to what's-his-face from the gym?* • *Eh, ¿qué le ha pasado al como-se-llame ese del gimnasio?*

TAMBIÉN PUEDES DECIR WHAT'S-HIS-NAME O WHAT'S-HIS-NUTS

wheels [USA] *n.*

CARRO, BUGA

—*Did Bill need new wheels? // No, he just got 'em to impress the ladies.* • *¿Bill necesitaba un carro nuevo? No, se lo ha pillado solo para ir de guays con las tías.*

whinge [UK]

1 *v.* QUEJARSE

—*Quit your whinging. You can't always get your way.* • *Deja de quejarte. No siempre te tienes que salir con la tuya.*

2 *n.* QUEJA

—*Co-worker: What's up with Johnson? // Wilson: Oh, you know. The usual whinge.* • *Compañero de trabajo: ¿Qué pasa con Johnson? // Wilson: Bah, ya sabes. Las quejas de siempre.*

En Estados Unidos se usa la forma **whine**.

whipped *adj.*

DOMINADO/A, ESCLAVIZADO/A

—*Ann's got him so whipped, you can hardly tell he's a guy anymore.* • *Ann lo tiene tan dominado, que ya no sabes si es un tío o no.*

Whipped es la versión corta de una expresión más vulgar: **pussy whipped**. En las conver-saciones, a veces ni se dice, sino que se hace el gesto de restallar el látigo.

wife beater [USA] *n.*
CAMISETA IMPERIO,
CAMISETA DE INTERIOR

—*Wearing a **wife beater** out in public just screams white trash.* • *Llevar solo camiseta imperio por la calle es de quinqui total.*

El nombre viene de que en Estados Unidos los que se olvidan de poner la camisa sobre el **undershirt** (**vest** en el Reino Unido) y además tienen barriga, se conocen como **wife-beaters** (maltratadores).

willies (give the) *loc.*
DAR MAL ROLLO, DAR COSA,
PROVOCAR ESCALOFRÍOS,
ACOJONAR

—*I know it's all in my head, but something about this place **gives me the willies**.* • *Sé que está todo en mi cabeza, pero hay algo en este sitio que me da mal rollo.*

UN SINÓNIMO: GIVE THE CREEPS

wimp *n.*
PRINGADO

—*Quarterback: Out of my way, **wimp**. //Class nerd: I may be a **wimp**, but ten years from now, I'm gonna be your boss.* • *Quarterback: Aparta, pringao. //Empollón: Puede que sea un pringao, pero dentro de diez años seré tu jefe.*

with bells on *loc.*
A DARLO TODO, CON TODO,
A TOPE

—*Sofia: Are you coming to the party tomorrow night? //Kyle: Yeah, I'll be there **with bells on**.* • *Sofia: ¿Vienes a la fiesta mañana por la noche? //Kyle: Sí, sí, ahí estaré, a darlo todo.*

wonky *adj.*
RARO/A, TONTO/A, CHUNGO/A,
MEDIO ROTO/A

—*Sorry that I didn't write back earlier. My computer's been acting **wonky** all week.* • *Perdona por no haber contestado antes. El ordenador ha estado toda la semana haciendo el tonto.*

wop *n. (vulg.)*
ESPAGUETI, ITALIANINI

—*What the fuck's wrong with this place? If you're not a **wop**, you're a spic, a kike or a chink. Where are all the real Americans?* • *¿Qué coño le pasa a este sitio? Si no eres espagueti, eres judío o chinorris. ¿Dónde están los americanos de verdad?*

wrinkly *n.*
VIEJITO/A

—*Kid to grandfather: How's my favourite **wrinkly** today?* • *Nieto al abuelo: ¿Cómo se encuentra hoy mi viejito preferido?*

yak *v.*
ESTAR DE PALIQUE, DARLE
A LA SINHUESO, ESTAR DE
CHÁCHARA

—*They've been* **yakking** *on
the phone for over an hour now.* •
*Llevan más de una hora de palique
al teléfono.*

yakety-yak [USA] *n., v.*
PALIQUE, CHÁCHARA

—*That's enough* **yakety-yak**.
Time for bed! • *Basta ya de tanta
cháchara. ¡Es hora de acostarse!*

yank
1 *v.* HACERSE UNA PAJA,
MENEÁRSELA

—*Research shows that* **yanking** *is
good for your health.* • *Los estudios
demuestran que hacerse pajas es
bueno para la salud.*

2 *n.* PAJA

—*My mum walked in on me
having a* **yank**. *How mortifying!* •
*Mi madre me pilló haciéndome una
paja. ¡Qué vergüenza!*

yap *v.*
1 ESTAR DE PALIQUE, DARLE
A LA SINHUESO, ESTAR DE
CHÁCHARA

—*How was the movie?* // *Good,
but the people in the row behind me
wouldn't stop* **yapping** *the whole
way through it.* • *¿Qué tal la
película?* // *Bien, pero los de la fila
de detrás han estado de palique
todo el rato.*

2 LADRAR (CON LADRIDOS
MUY AGUDOS)

—*If the neighbor's dog doesn't stop*
yapping, *so help me God.* • *Si el
perro del vecino no deja de ladrar,
no respondo.*

yawn *n.*
ROLLO, COÑAZO

—*Cheerleader: All this talk
about football is a total* **yawn**. //
*Quarterback: Not like your
cheerleading crap is a party
waiting to happen.* • *Animadora:
Tanto hablar de fútbol es un rollo
increíble.* // *Quarterback: Uy, como
si vuestros rollos de animadoras
fueran tan divertidos.*

yelch _expr._
¡PUAJ!

—_I just walked in on John and Cindy making out in the bathroom._ // **Yelch!** _I think I'm gonna hurl._ • _Acabo de encontrarme a John y Cindy dándose el lote en el baño._ // _¡Puaj! Creo que voy a potar._

yob _n._
1 [UK] GAMBERRO

—_He's turned out be quite respectable. It's hard to imagine he was a **yob** in his youth._ • _Se ha convertido en una persona respetable. Cuesta imaginar que de joven era un gamberro._

> SI OS FIJÁIS, YOB ES BOY ESCRITO AL REVÉS, POR ESO UN YOB EN GRAN BRETAÑA ES EXACTAMENTE LO CONTRARIO DE LO QUE SE ESPERA DE UN JOVENCITO RESPETABLE

2 [USA] CURRITO (normalmente mal pagado y aburrido)

—_I got a **yob** in fast food. Better than cleaning toilets, though._ • _He encontrado un currito en un fast food. Es mejor que limpiar retretes._

> En Estados Unidos, si dices **yob** en lugar de **job**, es que te estás riendo del acento de los inmigrantes latinoamericanos.

yonks _n. pl._
SIGLOS, MUCHO TIEMPO

—_Hey, where've you been? I haven't seen you in **yonks**._ • _¿Eh, dónde te habías metido? Llevaba siglos sin verte._

yowzers! _interj._
¡MADRE MÍA!

—_Cheerleader 1: Speaking of hot, did you see the new quarterback from East High?_ // _Cheerleader 2: I know.... **Yowzers!**_ • _Animadora: 1: Hablando de tíos buenos, ¿has visto al nuevo quarterback del East High?_ // _Animadora 2: Ya... ¡Madre mía!_

Yowzers! sirve básicamente para expresar emoción y sorpresa. También se escribe **yowz!**

yo-yo knickers [UK] _n._
1 PILINGUI, GUARRILLA

—_I hear she's a **yo-yo knickers**. All the girls hate her, but the lads love her._ • _Dicen que es un poco pilingui. Las chicas la odian, pero los tíos la adoran._

2 ROPA INTERIOR SEXY

—_Since when did preteens start wearing **yo-yo knickers**? That's sick._ • _¿Desde cuándo las preadolescentes llevan ropa interior sexy? Es asqueroso._

zapper *n.*

MANDO

—Fork over the fuckin' **zapper**! It's my turn to pick the show for once. • ¡Pásame el puto mando! Ahora, para variar, me toca a mí escoger el programa.

zeppelins [UK] *n. pl.*

MELONES, TETAS

—A pair of **zeppelins** like that can't be natural. //And that's not the only work she's had done. • Unos melones así no pueden ser naturales. // Y eso no es lo único que se ha operado.

-zilla *suf.*

Sufijo que se añade a una palabra para indicar que es el mayor o peor ejemplo de algo. Viene de Godzilla, el monstruo más malo de todos.

—Have you seen Dan's new place? All I can say is "house**zilla**"! • ¿Has visto la casa nueva de Dan? ¡Vaya casoplón!

zip it *interj.*

CÁLLATE LA BOCA, CIERRA EL PICO

—**Zip it**, Johnson! I don't want to hear one more word out of you. • ¡Cállate la boca, Johnson! No quiero volver a oírte.

zone out *v.*

QUEDARSE EN LA PARRA, DESCONECTAR, ESTAR EN LAS NUBES

—Lindsay: What do you think? // Kyle: ... // Lindsay: Hello! Hello! Anyone there? // Kyle: Oh, were you saying something? I think I **zoned out** there for a minute. • Lindsay: ¿Qué te parece? // Kyle: ... // Lindsay: ¡Eh, eh! ¿Me estás escuchando? // Kyle: Ay, ¿me decías algo? Perdona, es que me he quedado en la parra un momento.

Z monster *n.*

GANAS DE SOBAR

—It's time for me to hit the hay. The **Z monster** has attacked me full force. • Yo me voy al sobre. Me han entrado unas ganas terribles de sobar.

ZZZZZ.....

ESPAÑOL-ENGLISH

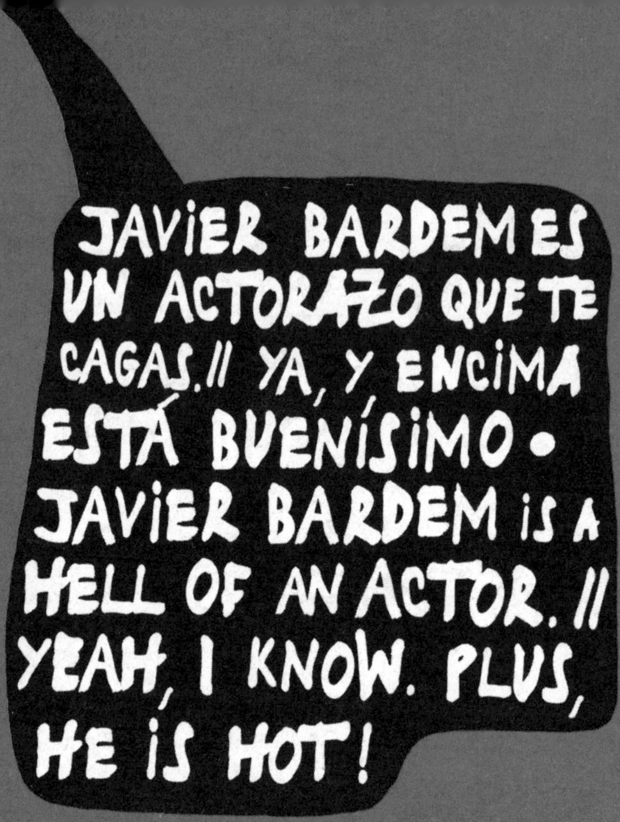
JAVIER BARDEM ES UN ACTORAZO QUE TE CAGAS. // YA, Y ENCIMA ESTÁ BUENÍSIMO •
JAVIER BARDEM IS A HELL OF AN ACTOR. // YEAH, I KNOW. PLUS, HE IS HOT!

abuelo/a *n.*

1 GRANDPA/GRANDDAD, GRANDMA/GRAN

—*Pepe está hecho un **abuelo**. No hay forma de sacarlo de casa.* • *Pepe's such a granddad. There's no getting him out the house.*

ANOTHER CUTE, MORE FAMILIAR WAY TO REFER TO A GRAMPS IS ABUELETE

2 ¡éramos pocos y parió la abuela! *expr.*

Spanish people say this at social gatherings when there are already too many people and somebody else turns up. In English, we might say "the more the merrier… NOT!"

3 no tener abuela *expr.*

TO BE FULL OF ONESELF

—*¡Hija, tú **no tienes abuela**, te pasas el día echándote flores!*

• *You're so full of yourself! You're always tooting your own horn.*

Grandma comes up quite a bit in Spanish slang as you can see. The expression **no tener abuela** is perfect for that little attention whore in all of us.

aceite (perder) *expr.*

TO PLAY FOR THE OTHER TEAM

—*El chico nuevo de la clase **pierde aceite** fijo. Ayer le vi en el cine con un tío con una pinta gay que no podía con ella.* • *The new guy in class definitely plays for the other team. Yesterday, I saw him at the movies with a guy who looked gay as a peacock.*

acelerarse *v. prnl.*

TO GET UPTIGHT, TO GET AGITATED

—*No **te aceleres** y piensa bien lo que estás haciendo.* • *Don't get all uptight! Stop and think about what you're doing!*

achicharrarse *v. prnl.*

TO BE BURNING UP, TO GET FRIED OR BURNED (ALIVE)

—*Yo hoy paso de ir a la playa, que ayer **me achicharré** viva.* • *There's no way I'm going to the beach today. I got burned alive yesterday.*

YOU CAN ALSO ASARTE WHEN IT'S TOO HOT

aclararse *v. prnl.*
TO MAKE UP ONE'S MIND,
TO BE SURE

—Martina le ha dicho a Martín que hasta que no **se aclare** no saldrá con él. • Martina told Martín she wouldn't go out with him until he made up his mind.

actorazo *n.*
GREAT ACTOR, FIRST-RATE ACTOR

—Javier Bardem es un **actorazo** que te cagas. // Ya, y encima está buenísimo. • Javier Bardem is a hell of an actor. // Yeah, I know. Plus, he is hot!

The suffix **-azo** has an intensifying effect on nouns, making them greater and even more wonderful or worse than they would otherwise be. Applying this logic, other examples with **-azo** include **conciertazo** (a kick-ass concert), **temazo** (a smash hit song) and **mazazo** (a heavy blow).

a dos velas (estar/ quedarse) *expr.*
1 TO NOT GET ANY, TO COME UP EMPTY-HANDED

—Salimos a pillar cacho y **nos quedamos a dos velas**. // O sea, que os fuisteis a casa a haceros una bartola. // Tú lo has dicho. • We went out to get some action and came up empty-handed. // So, in other words, you went home and beat off. // You said it.

2 TO BE BROKE, TO BE SKINT [UK]

—Desde que empezó la crisis, no tiene trabajo y **está a dos velas**. • Since the crisis started, he's been out of work, and he's broke.

aire (ir a su) *expr.*
TO DO THINGS ONE'S OWN WAY, TO DO ONE'S OWN THING

—No cuentes con Pau porque **va totalmente a su aire**. Según como le pille, se pira y te deja colgada. • Don't count on Pau; he's always doing his own thing. If he feels like it, he'll jet and leave you hanging.

ajo (estar en el) *expr.*
TO BE IN THE KNOW,
TO BE IN THE LOOP

—Por su forma de comportarse, fijo que Javier **está en el ajo**. • Judging by how he's acting, Javier's definitely in the know.

¡allá tú! *interj.*
WHATEVER!, IT'S UP TO YOU!, HAVE IT YOUR WAY

—Si no quieres ir, **¡allá tú!** Pero te aviso: esta fiesta tiene pinta de

que va a ser la puta bomba. • *If
you don't wanna go, it's up to you!
But you should know, it looks like
it's gonna be a fuckin' awesome
party.*

TÚ MiSMO/A iS ANOTHER
WAY TO TELL SOMEONE THAT
iT iS UP TO THEM. LIKE HERE,
THE IMPLICATION iS THAT
THEY'RE MAKING A MISTAKE

ambiente *n.*
THE GAY SCENE

—*En Barcelona la zona de **ambiente** está en el Eixample izquierdo.* • *In Barcelona all the gay scene is in the left Eixample.*

amiguete *n.*
BUDDY, PAL, CRONY, MATE,
FRIEND IN THE RIGHT PLACE

—*La política es un asco. Los partidos que llegan al poder se preocupan menos por la gente que por los intereses de sus **amiguetes**.* • *Politics sucks. The parties in power are less worried about people than the interests of their buddies.*

amo (el puto) *expr.*
THE MAN, THE SHIT

—*Mi brother se ha tuneado el Audi. Le ha quedado de puta madre.* ‖ *Es que es **el puto amo**!* • *My brother souped up his Audi, and it looks wicked!* ‖ *He's the man!*

¡anda que no! *expr.*
1 This structure is an ironic way of emphasizing a statement. By saying the opposite of what you mean, you stress that it really is that way.

—*¡**Anda que no** le gusta maquearse para ir a las fiestas!* • *She just loves getting dressed up for parties.*

2 NO WAY!, GET OUT!
When used alone, it also works as a response to a statement the speaker likes.

—*¡Nos vamos a tomar un año sabático!* ‖ *¡**Anda que no**!* • *We're going to take a year of sabbatical!* ‖ *Get out!*

anfeta *n.*
SPEED

—*Yo solo tomo **anfetas** en época de exámenes.* • *I only do speed at exam time.*

angelito *n.*
1 NO SAINT

—*Menudo **angelito** el nuevo novio de Paula, acabo de pillarlo con otra tía en el cine.* • *Paula's new boyfriend is no saint. I just caught him with some other chick at the flicks.*

2 DORK

—*¡**Angelito**! ¡Te lo crees todo!* • *What a dork! You believe everything!*

antena puesta (ir/ estar con la) *expr.*

TO HAVE ONE'S EARS PRICKED, TO BE ON ALERT

—*Cuidado con Marcos.* **Está con la antena puesta** *y se va a enterar de lo de la fiesta.* • *Watch out for Marcos. He's on alert, and he's gonna find out about the party.*

armario *n.*

HULK, MONSTER, TITAN

—*¿Has visto al pívot que ha fichado el Madrid? Es un* **armario** *de 2,15.* • *¿Have you seen the new center for Real Madrid? He's a hulk at seven feet.*

aro (pasar por el) *expr.*

TO CAVE IN, TO KNUCKLE UNDER

—*Mi hermano Fernando cateó el examen y fue a reclamar, pero al final tuvo que* **pasar por el aro** *y repetir curso.* • *My brother Fernando flunked the test and went to complain, but in the end, he had to cave in and repeat the course.*

arrancarse *v. prnl.*

TO GET STARTED

—*Belén no quería cantar, pero* **se arrancó** *y luego no había quien la parara.* • *Belén didn't want to sing, but once she got started, there was no stopping her.*

arrastrado/a *n.*

STOOGE

—*Seguro que piensa que soy un* **arrastrado**. *Estoy tan colado que hago cualquier chorrada que me pide.* • *I'm sure she thinks I'm just a stooge, but I'm so crazy about her that I'd do anything she asks.*

asqueado/a (estar) *expr.*

TO BE FED UP, TO BE SICK

—**Estoy asqueado** *con mi vida: trabajar y dormir, trabajar y dormir.* • *I'm fed up with my life: just work and sleep, work and sleep.*

atontado/a *adj.*

THICK [UK], DUMBASS, WALLY [UK]

—*Tío, estás* **atontado**. *No ves que esa pava está por la labor. ¡Haz algo!* • *Man, you're thick. Don't you see she's up for it? Do something!*

atrás (ni para) *expr.*

AT ALL, IN THE LEAST

—*Esto es muy complicado, no lo entiendo* **ni para atrás**. • *This is really complicated. I don't understand it at all.*

YOU'LL NEVER HEAR A SPANIARD SAY NI PARA ATRÁS. THE "PROPER" PRONUNCIATION IS NI PA'TRÁS

baba *n.*

1 caérsele la baba *expr.*
TO DROOL

—*¡Disimula un poco! Cada vez que pasa Jorge **se te cae la baba**.* • *Don't be so obvious! You drool all over Jorge every time he walks by.*

2 tener mala baba *expr.*
TO BE NASTY, TO BE BITCHY

—*Tus amigos tienen muy **mala baba**. Cuando supieron que mi novio me había plantado, empezaron a decir que era porque soy un callo.* • *Your friends are really bitchy. When they found out my boyfriend dumped me, they started saying it was because I'm a frump.*

YOU CAN ALSO SAY MALA FOLLA, MALA UVA, MALA LECHE, AND SO ON

Babia (en) *expr.*
TO BE DAYDREAMING, TO HAVE ONE'S HEAD IN THE CLOUDS

—*Se pasa toda la clase **en Babia**. //Déjale, que está enamorado.* • *He spends all class with his head in the clouds. //Let him be. He's in love.*

> Babia is a county in the north of León. Apparently, when the king and queen of León wanted a break from the machinations of the court, they would draw away to Babia. As a way of saying that the king had fled from the palace intrigue, which did not interest him in the slightest, his subjects would say el **rey está en Babia**, or "far away from it all" – and, it appears, the expression stuck!

bacalao (cortar el) *expr.*
TO CALL THE SHOTS, TO RUN THE SHOW

—*Aquí el que **corta el bacalao** es Andrés. Es a él a quien tienes que convencer.* • *Andrés calls the shots here. He's the one you have to convince.*

bajini (por lo) *expr.*
QUIETLY, ON THE SLY

—*Me lo dijo en el bar **por lo bajini** para que no se enterara nadie.* • *He told me quietly in the bar, so that no one else would find out.*

bakala *n.*

RAVER, ELECTRO HEAD

—*Ese barrio está lleno de **bakalas** que se pasan el día en la calle con los coches abiertos escuchando tecno chungo.* • *This barrio is full of ravers who spend all day driving around with their windows down, listening to some techno crap.*

bakalao *n.*

HARDSTYLE, RAVE MUSIC

—*¿Qué haces pinchando **bakalao**? ¡Eso está muy desfasado!* • *What are you doing playing hardstyle? That's way passé.*

The electronic music popular in Spain in the early 1990s was known as **bakalao**. This word is still used to refer to hardstyle music. People who listen to **bakalao** are known as **bakalas**.

bamba *n.*

TRAINERS [UK], SNEAKERS [USA]

—*¡Cómo molan esas **bambas**, tío! ¿Te las compraste en Nueva York?* • *Those are some kick-ass sneakers! Did you get them in New York?*

Bamba can be traced back to Wamba, a brand of sports shoes, and is typically used in Catalonia. In other parts of Spain, **bambas** are known as **zapas**, **zapatillas** or **tenis**.

banda *n.*

1 cerrarse en banda *expr.*

TO DIG ONE'S HEELS IN, TO SHUT DOWN

—*Se **cerró en banda** y no hubo manera de hacerla salir de casa.* • *She dug her heels in, and there was no way of getting her to come out.*

2 coger por banda *expr.*

TO CATCH SOMEONE ALONE, TO PULL SOMEONE ASIDE

—*¡Como te **coja por banda**, verás lo que es bueno!* • *If I ever catch you alone, you'll get what's good for you!*

bandarra *n.*

PIECE OF WORK, SLACKER

—*¡Menudo **bandarra** estás hecho! Te pasas todo el día de juerga.* • *You're a real slacker, you know that! You're always out having fun.*

baño (dar un) *expr.*

TO TAKE SOMEONE TO THE CLEANERS, TO GIVE SOMEONE A THRASHING

—*En la segunda jornada de la Liga le **dieron un baño** al Valencia.* • *On the second day of the League, they took Valencia to the cleaners.*

OTHER COLLOQUIAL EXPRESSIONS THAT MEAN THE SAME THING INCLUDE DAR UN REPASO, MERENDARSE A ALGUIEN AND COMERSE A ALGUIEN CON PATATAS

barbi _n._

BIMBO

—_El chiringuito estaba lleno de_ **barbis** _en bikini._ • _The beach bar was full of bikini-clad bimbos._

bestia

1 _n._ DOG, PACK ANIMAL

—_Trabajaron como_ **bestias** _durante un mes._ • _They worked like a dog for a month._

2 _adj._ IDIOT, STUPID

—_No seas_ **bestia** _y quita el freno de mano antes de arrancar._ • _Don't be an idiot and take off the parking break before you start._

3 a lo bestia _expr._

LIKE CRAZY, WILDLY

—_Will Smith salió_ **a lo bestia** _cuando estuvo en España._ • _Will Smith went out like crazy when he was in Spain._

4 bestia negra _expr._

BÊTE NOIRE

—_En los últimos años el Rubin Kazan ha sido la_ **bestia negra** _del Barça._ • _In recent years, Rubin Kazan has been the bête noire of Barça._

Biblia en verso (la) _expr._

AND ON AND ON AND ON, AD NAUSEAM

—_Quedamos después de vacaciones y me contó todo: el viaje, las fiestas, los días de playa… _**la Biblia en verso**_, vamos._ • _We met up after his holiday, and he told me about everything: the trip, the parties, the days on the beach and on and on and on._

La Biblia en verso is used to finish off a list and exaggerate just how complicated and never-ending all the details were.

bi _abbrev._ (bisexual)

BI

—_Soy_ **bi** _pero últimamente me gustan más los chicos que las chicas._ • _I'm bi, but lately, I'm more into guys than girls._

bicho _n._

1 SKUNK, SCUMBAG

—_Ese tío es un_ **bicho**_. No lo quiero cerca de mí._ • _That guy's a skunk. I don't want him anywhere near me._

A **mal bicho** is more or less the same thing, but maybe even worse if you can imagine that!

2 bicho raro _n._

FREAK, WEIRDO

—_En el insti nadie salía del armario y me sentía como un_ **bicho raro**_._ • _No one came out of the closet at my school, and I felt like a freak._

birlar *v.*

TO ROB, TO PINCH, TO WALK
OFF WITH, TO GANK, TO NICK

—*Este año me han* **birlado** *la
moto dos veces.* // *¡Joder!* • *My
bike's been robbed twice this year.* //
¡Fucking hell!

biruji *n.*

FREEZING, CHILLY, GLACIAL,
ARCTIC

—*¡Cierra la ventana, loco, que
entra un* **biruji** *del copón!* • *Close
the window, you nutbag! It's fuckin'
glacial in here.*

Rasca is another word for chilly
weather.

bledo (importar un) *expr.*

TO NOT GIVE A SHIT, TO NOT
GIVE A HOOT, TO NOT GIVE A
DAMN

—*Desde que me dejó, me* **importa
un bledo** *lo que haga.* • *Ever since
he left me, I don't give a shit what
he does.*

YOU CAN ALSO SAY ME IMPORTA
UN PEPINO, ME IMPORTA UN
PIMIENTO, ME IMPORTA UN
RÁBANO, ME IMPORTA UN
COMINO AND ME IMPORTA UN
HIGO. DOES THE FACT THAT
THEY'RE EDIBLE PLANTS SAY
SOMETHING ABOUT THE
SPANISH PERSONALITY?

boca (callarse la) *expr.*

TO DROP IT, TO SHUT IT

—*Como siga buscándome, me
encontrará.* // *Pasa de él, tía, yo
que tú* **me callaría la boca** *y a
otra cosa mariposa* • *If it's trouble
he wants, trouble he'll get.* // *Forget
about him. If I were you, I'd
just drop it and worry about
something else.*

bocata *n.*

SANDWICH

—*¿Dónde te has pillado ese* **bo-
cata***? Tiene muy buena pinta.* •
*Where did you score that sandwich?
It looks delicious.*

The original word is **bocadillo**,
which Spanish people cut short
before adding the suffix **-ata**
to give it a more young and
colloquial feel. Other examples
include **ordenata**, a young way
to say **ordenador** (computer),
and **cubata**, a widespread term
for a mixed drink made from
alcohol and a soft drink.

bocazas *n.*

1 BLABBERMOUTH,
BIG MOUTH

—*Tu hermano es un* **bocazas**.
*Postea en su blog todo lo que le
cuentan.* • *Your brother is a
blabbermouth. He posts anything
anyone tells him up on his blog.*

2 BIG TALKER

—*Tú no me hagas caso, soy un* **bocazas**. *A la hora de la verdad no me como nunca un rosco* • *Pay no attention to me. I'm just a big talker. When push comes to shove, I never actually score.*

bola *n.*
1 ir a mi/tu/su... bola *expr.*
TO DO ONE'S OWN THING

—*Yo* **voy a mi bola**, *si quieren venir bien, y si no, también.* • *I'm gonna do my own thing. If they wanna come, great. If not, who cares.*

2 no dar bola *expr.*
TO NOT EVEN KNOW ONE IS THERE, TO NOT PAY ATTENTION TO

—*Últimamente mi novio* **no me da bola**. *// Igual hay otra tía.* • *Recently, my boyfriend doesn't even know I'm there. // Maybe there's another girl.*

3 no rascar bola *expr.*
TO BE CLUELESS

—*Joder, tío, en clase de Neuropsicología* **no rasco bola**. *// No te agobies, yo tampoco pillo nada.* • *Fuck, man, I'm clueless when it comes to neuropsych. // Don't get worked up about it. I don't get it either.*

4 rascarse las bolas *expr.*
TO DINK AROUND, TO DO FUCK ALL, TO DICK AROUND

—*Tío, estás todo el puto día* **ras-**

cándote las bolas. *// ¿Y qué? ¿Algún problema?* • *Dude, all you do is dink around all day. // So? What's it to you?*

bollos (no estar el horno para) *expr.*
TO NOT BE A GOOD TIME

—*Hoy María se ha enfadado con su marido. // Pues no la llames, que* **no estará el horno para bollos**. • *María got upset with her husband today. // Don't call her then. It's probably not a good time.*

bolo *n.*
GIG

—*El finde que viene tengo un* **bolo** *con mi grupo en Valencia.* • *This weekend my band and I have a gig in Valencia.*

bombardeo (apuntarse a un) *expr.*
TO BE GAME FOR ANYTHING, TO BE UP FOR ANYTHING

—*¿A alguien le apetece salir hoy? // Yo paso. Díselo a Cristina, que esa* **se apunta a un bombardeo**. • *Anyone feel like going out today? // Not me, but ask Cristina. She's always game for anything.*

bombazo *n.*
BOMBSHELL

—*Para la cena de Nochebuena*

*tengo preparada una noticia que
será un **bombazo**. Lo vais a fli-
par.* • *For Christmas Eve dinner,
we've got news that will come as a
bombshell. Prepare to be shocked.*

bombo *n.*

1 dar bombo *expr.*

TO HYPE (UP)

*—Yo, la verdad, no sé qué esperar
del último libro de Zafón. Le **han
dado** tanto **bombo** que no me fío.*
• *I don't know what to expect from
Zafón's latest book. They've hyped
it up so much that I'm not sure
what to think.*

People who are full of themselves
and cannot seem to stop talking
about how great they are are said
to **darse autobombo**.

2 hacerle un bombo *expr.*

TO KNOCK UP, TO GET
KNOCKED UP

*—A Laia **le hicieron un bombo**
y su madre la echó de casa.* • *Laia
got knocked up, and her mother
kicked her out of the house.*

The **bombo** is the round drum
holding the numbered balls used
to call the lottery.

boquilla (de) *expr.*

ALL TALK, TO BE HOT AIR

*—Paco dice que domina un huevo
de surf, pero es **de boquilla**.* •
*Paco says he's a master surfer, but
it's all talk.*

bordar *v.*

To do something really well or
excellently.

*—Se la hicieron repetir, pero
al final **bordó** la prueba.* • *They
made her repeat the test, but in the
end, she passed with flying colors.*

botar *v.*

TO SACK, TO GIVE THE BOOT

*—Lo **botaron** del curro porque se
pasaba el día mirando el Facebook
y charlando con las secretarias.* •
*They gave him the boot, because all
he did all day was check Facebook
and chat with the secretaries.*

braga *n.*

1 en bragas *expr.*

WITH ONE'S PANTS DOWN,
TOTALLY UNPREPARED

*—¿Que vienes a cenar? Pues
me pillas totalmente **en bragas**.
No tengo nada en la nevera.* •
*You're coming for dinner? You've
caught me with my pants way
down. I've got nothing in the
fridge.*

2 estar hecho/a una braga *expr.*

TO BE POOPED [USA],
TO BE KNACKERED [UK]

*—Cristina dice que ayer salió y
que hoy **está hecha una braga**.*
• *Cristina says she went out last
night and that today she's knack-
ered.*

3 quedarse en bragas *expr.*

TO BE LEFT WITH JUST THE
SHIRT ON ONE'S BACK

—*Cuando mi empresa chapó por la crisis, **me quedé en bragas** en la puta calle.* • *When my company closed down because of the crisis, I was left with just the shirt on my back.*

brava (a la) *expr.*

SLOPPILY, HAPHAZARDLY

—*Manuel hace las cosas **a la brava** y el resultado es una mierda.*• *Manuel does things haphazardly, and they turn out like shit.*

buah! *interj.*

WAY TO GO!, WOAH!

—*Ayer me encontré por casualidad a María y estuvimos tomando algo por Lavapiés. Creo que le molo.* // *¡**Buah**, nen! Con lo buenorra que está.* • *I ran into María yesterday, and we went for a drink in Lavapiés. I think she's into me.* // *Way to go, man! She's a hottie!*

buche *n.*

BELLY

—*Estás más simpática cuando tienes el **buche** lleno.* • *You're nicer when your belly's full.*

bufas *n. pl.*

TITS, JUGS, BOOBS, JUBBLIES

—*Menudas **bufas** tiene la tía que da el tiempo.* • *Check out the tits on the weather girl.*

burro *n.*

1 DOPE, DUNCE, HALFWIT

—*¡Qué **burro** eres! Mira que intentar saltar desde ese balcón. ¡Ya te vale!* • *You're such a dope. Trying to jump down from that balcony? C'mon!*

2 bajarse del burro *expr.*

TO BACK DOWN, TO GIVE IN

—*Qué cabezón es, nunca quiere **bajarse del burro**.* • *He's hardheaded as hell. He never wants to back down.*

3 no ver tres en un burro *expr.*

TO BE BLIND AS A BAT

—*Manuel **no ve tres en un burro**.* • *Manuel's blind as a bat.*

4 ponerse burro *expr.*

a TO DIG ONE'S HEELS IN,
TO BE PIGHEADED

—*¡No **te pongas burro** porque así no conseguirás nada!* • *Don't be pigheaded. It will get you nowhere.*

b TO GET HORNY, TO GET
TURNED ON

—*Cuando veo a María **me pongo burro**, tío. No puedo evitarlo.* // *Joder, tronco, y yo, está buenísima.* • *I get turned on whenever I see María. I can't help it.* // *You're not the only one. She's a fox!*

PÍLLATE UNAS ZAPAS
NUEVAS, QUE ESTAS
ESTÁN MUY CURRADAS.//
YA ME GUSTARÍA, PERO
NO TENGO PASTA, TÍO.
GO GET YOURSELF SOME
NEW KICKS. THESE ONES
ARE REALLY SCRUFFY.//
I'D LOVE TO, MAN, BUT
I'M SHORT ON DOSH

Cabroncete is not necessarily a negative term. Many times it is also used between guys as a way to show friendship or to express no small amount of jealousy. We do the same thing in English when we say something like "he's a total babe magnet, the bastard".

caca de la vaca *expr.*

CRAP, RUBBISH [UK],
A HEAP OF SHITE [UK]

—*Ese móvil que te has comprado es una **caca de la vaca**.* • *That mobile you bought is rubbish.*

cabezadita (echar una) *expr.*

TO TAKE A POWER NAP

—*Estoy hecha polvo. Me voy a **echar una cabezadita**.* • *I'm pooped. I'm gonna go take a power nap.*

cacharro *n.*

DRINK

—*Ayer salimos por el centro y nos bebimos unos **cacharros**.* • *Yesterday we went out in the center and had a few drinks.*

cabezón *n.*

HARDHEADED, HEADSTRONG, PIGHEADED

—*¡Mira que eres **cabezón**, no te bajas del burro ni a la de tres!* • *God, you're hardheaded. You won't back down for anything, will you?*

cacho *adv.*

SO, TOTALLY, MEGA

—*Ese Pedro es un **cacho** plasta.* • *Pedro is mega annoying.*

cabroncete *n.*

(LITTLE) BASTARD

—*¡Menudo **cabroncete** estás hecho, siempre de juerga con las tías!* • *You little bastard, always out partying with the ladies!*

cafre *n.*

BRUTE

—*¡Vaya **cafre** de novio que te has echado! Es más de pueblo que las amapolas.* • *What a brute of a boyfriend! He's more country than a roadside rodeo.*

In Spanish, there are dozens of ways to say that someone is coarse and stupid. A brief selection includes **patán**, **zopenco**, **burro**, **ceporro**, **cenutrio**, etc.

cágate lorito *interj.*
HOLY MACKEREL, HOLY COW, HOLY SHIT!, I'LL BE DAMNED!, FUCK ME! [UK]

—*¡Cágate lorito: el ordenata nuevo ya se ha jodido!* • *Holy shit! The new computer's already on the fritz!*

CÁGATE LORITO! IS AN EXPRESSION USED TO GIVE EMPHASIS TO A STATEMENT OF SURPRISE. ¡AGÁRRATE! MEANS ESSENTIALLY THE SAME THING

cagón/ona *n.*
CHICKEN SHIT, WUSS

—*Carlos es un **cagón**, no se atrevió a llamar a Carla para invitarle.* • *Carlos is a chicken shit. He couldn't work up the guts to call Carla and invite her.*

cagüen *expr.*
(me cago en)

—*¡**Cagüen** todo lo que se mueve!* • *Fuck it all to hell!*

Me cago en or the slurred version **cagüen** is a highly useful and frequent bit of Spanish profanity that can be followed by almost any thing under the sun.

As to what exactly you'd like to shit on... well, creativity's the limit! Common examples include **me cago en la leche, me cago en todo, me cago en la mar salada, me cago en Dios** and **me cago en tu puta madre**. Regardless, they all basically mean something like "bloody hell", "fuck" or "fuck it all to hell".

caja (partirse la) *expr.*
TO BUST A GUT, TO SPLIT ONE'S ARSE LAUGHING

—*Con mi amigo Antonio **te partes la caja** sí o sí. O te cuenta chistes buenísimos o te cuenta su vida, que también es un descojone.* • *With my friend Antonio, you always bust a gut no matter what. He's always telling hilarious jokes or talking about his life, which is also a riot.*

cajón (ser de) *expr.*
TO GO WITHOUT SAYING

—*Si te quedas sin curro tendrás que buscar otro, **es de cajón**.* • *If you lose your job, you'll have to find another. That goes without saying.*

calar *v.*
TO SEE (RIGHT) THROUGH, TO SUSS OUT [UK]

—*Ya le he **calado** y sé perfectamente de qué va.* • *I've already seen right through him and know exactly what his game is.*

calceto *n.*

SOCK

—*Cuando voy a correr en invierno, me pongo unos **calcetos** bien gordos para no pasar frío.* • *When I go running in winter, I always put on some thick socks to keep warm.*

calle *n.*

1 echar a la calle *expr.*

TO GIVE SOMEONE THE SACK [UK], TO GIVE SOMEONE THE BOOT [USA]

—*Llegó la crisis y los **echaron** a todos **a la calle**.* • *When the crisis came, the company gave them all the boot.*

2 llevar por la calle de la amargura *expr.*

TO MAKE SOMEONE'S LIFE A MISERY, TO MAKE SOMEONE'S LIFE A LIVING HELL, TO DRIVE SOMEONE UP THE WALL

—*Este hijo mio es un tarambana y me **lleva por la calle de la amargura**.* • *My son is a good-for-nothing and is making my life a living hell.*

3 llevarse a alguien de calle *expr.*

TO WIN SOMEONE OVER

—*¡Menuda potra tiene Fran! Con lo feo que es, y **se** las **lleva** a todas **de calle**.* • *Fran is so lucky! Ugly as sin, but he still wins over all the ladies.*

4 poner las calles *expr.*

A colloquial expression used to show just how early in the morning someone got up.

—*Se levantó tan pronto que aún ni habían **puesto las calles**.* • *She got up so early they hadn't even laid out the streets yet.*

calma (con la) *expr.*

(TAKE IT) EASY, RELAX

—*Ok, vamos a correr, pero **con la calma**, ¿eh?, que hace la tira que no hago deporte.* • *Okay, we're gonna go running, but take it easy, okay? It's been ages since I've worked out.*

calvorota *n.*

BALDIE, SLAPHEAD

—*El **calvorota** de la primera fila nos ha mirado mal porque estábamos hablando.* • *The slaphead in the front row gave us a dirty look, because we were talking.*

You can also call a bald man a **bola de billar**. When a man starts losing his hair, you can tell him that **se le clarea el cartón** or that **se le clarean las ideas**.

camionera *n.*

BUTCH

—*¡Qué sorpresa, chica, no sabía que te gustaran las tipo **camionera**!* • *What a surprise, girl! I didn't know you were into butches.*

cana *n.*
echar una cana al aire *expr.*
TO HAVE A ONE-NIGHT STAND

—*Llevan mil años casados y los dos **echan una cana al aire** de vez en cuando.* • *They've been married forever, and both have a one-night stand from time to time.*

canguelo *n.*
THE JITTERS, BUTTERFLIES (IN ONE'S STOMACH)

—*Antes de los partidos siempre le entra el **canguelo**.* • *He always gets the jitters before a match.*

cani *n.*
CHAV [UK], PUNK, LOWLIFE

—*El polideportivo de mi barrio está lleno de **canis**.* • *Our neighbourhood sports center is full of chavs.*

cantada *n*
A blatant mistake by a goal-keeper.

—*La **cantada** del portero fue espectacular.* • *The goalie fucked that one up big time.*

cantar *v.*
1 TO REEK

—*En el metro, colega, le **canta** el sobaco a cantidad de peña. Por la tarde el pestazo es insoportable.* •

In the metro, there are tons of people with reeking armpits. The smell in the afternoon is enough to make you sick.

ANYTHING CAN CANTAR: EL ALA, LA ANCHOA, LOS PINRELES, ETC

2 TO BE FLASHY, TO STICK OUT LIKE A SORE THUMB

—*Estos auriculares **cantan** un huevo pero son guapos.* • *These headphones are super flashy, but they rock.*

3 TO BE OBVIOUS

—*¿**Cantaría** mucho pedirle a Vane que me dejara ver su nuevo edredón? // Hombre, pues sí, la verdad.* • *Would it be too obvious if I asked Vane to show me her new comforter? // Yup, man, it's pretty obvious.*

4 **estar cantado** *expr.*
TO BE PREDICTABLE, TO BE A FOREGONE CONCLUSION

—*Estaba cantado que el premio se lo llevaría la escritora más mediática.* • *It was a foregone conclusion that the award would go to the most well-known writer.*

cante (dar el) *expr.*
TO STAND OUT

—*Le encanta ponerse vestidos extremados y **dar el cante** en las bodas.* • *She loves putting on trendy dresses and standing out at weddings.*

cantidad *adv.*

OODLES, A BUNCH, TONS, LOTS
It's often used followed by the
preposition **de** plus noun.

—*Vane tiene **cantidad** de zapas.* •
Vane has oodles of sneakers.

canuto (no saber hacer la o con un) *expr.*

TO NOT KNOW ONE'S ASS
FROM A HOLE IN THE GROUND
[USA], TO BE AS THICK AS TWO
SHORT PLANKS [UK]

—*Los chavales de hoy en día **no
saben hacer la o con un canuto**.*
• *Kids these days don't know their
ass from a hole in the ground.*

caña *n.*

1 cantar la caña *expr.*

TO CHEW OUT

—*El médico me **cantó la caña**
porque no voy nunca a la consulta.*•
*The doctor chewed me out, because
I never come in for a check-up.*

2 tirar la caña *expr.*

TO MAKE A PASS

—*Anoche le **tiré la caña** trope-
cientas mil veces a la camarera ru-
bia.*• *Last night, I made a thousand
passes at the blonde waitress.*

In addition to **la caña**, you can
also **tirar los tejos** and **tirar los
trastos**. But be careful! Don't
confuse **tirar los trastos** with
tirarse los trastos a la cabeza,

which means to fight tooth and
nail with someone.

cañí *n.*

TYPICAL SPANISH

—*La España **cañí** es la España de
la copla, la peineta, los toros y el
olé.* • *Coplas, peinetas, bullfighting
and shouting "olé" are all about as
Spanish as it gets.*

"España cañí" is originally a
pasodoble tune, but it is typically
associated with everything that is
"typically Spanish": bullfighting,
flamenco and whatnot.

cara *n.*

1 CHEEKY BASTARD, CHEEKY SLAG [UK]

—*Juan pretende que siempre le
invites: es un **cara**.* • *Juan expects
everyone to pay for him all the time.
He's a cheeky bastard.*

2 dar la cara *expr.*

TO FACE THE MUSIC

—*En las situaciones complicadas
lo mejor es **dar la cara**.* • *When
the situation gets complicated, the
best thing to do is to face the music.*

3 echarle cara *expr.*

TO ACT BRAZEN, TO BE
CHEEKY, TO GET CHEEKY

—*Le echa siempre mucha **cara**
y entra en todas las discotecas.* •
*He acts all brazen and gets into
all the clubs.*

4 por la cara *expr.*

JUST BECAUSE, FOR FREE,
FOR NOTHING, FOR NOWT

—*Le han puesto un diez* ***por la
cara****: no lo merece ni de coña.* •
He got an A just because; he so
does not deserve it.

careto *n.*

(UGLY) MUG

—*Lo peor de los lunes es verle el*
careto *de mala hostia al jefe.* •
The worst thing about Monday is
seeing my boss's crabby mug.

carro *n.*

1 CAR

—*En la feria del automóvil había
unos* ***carros*** *japos que parecían
naves espaciales.* • At the auto
show there were some Japanese
cars that looked liked spaceships.

**2 apuntarse/subirse
al carro** *expr.*

TO JUMP ON THE BANDWAGON,
TO FOLLOW SUIT

—*Los gobiernos de Estados Unidos
y de China no aprovecharon la
oportunidad para hacer algo para
el planeta y lamentablemente la
UE* ***se apuntó al carro****.* • The
American and the Chinese govern-
ments didn't take to the opportunity
to do something for the planet and
unfortunately the EU jumped on the
bandwagon too.

3 bajarse del carro *expr.*

TO GIVE IT A REST,
TO LEAVE OFF

—*Yo paso de seguir organizando
todo:* ***me bajo del carro****.* • I can't
keep organizing everything. I'm
gonna give it a rest.

4 para el carro *expr.*

STOP IN YOUR TRACKS,
HOLD YOUR HORSES,
HOLD ON (A SECOND)

—***Para el carro*** *y vuelve a
empezar. No he pillado nada.* •
Stop in your tracks and start over.
I didn't get a thing.

cascar *v.*

1 TO BLAB

—*Este es un bocas, llega a casa
y lo* ***casca*** *todo.* • He's got a big
mouth. He gets home and blabs
everything.

2 cascarla *expr.*

TO KICK THE BUCKET

—***La cascó*** *el día que se jubilaba.
// ¡Joder, qué mala pata!* • He
kicked the bucket the very day he
retired. // Now that's shit for luck!

3 ¡a cascarla! *expr.*

BEAT IT!, SHOVE OFF!,
FUCK OFF!

—*Estoy ya harto de ti: ¡hala,* ***a
cascarla*** *y hasta mañana!* • I'm
sick of you already. So, beat it and
see you tomorow!

THIS EXPRESSION iS VERY VULGAR, BECAUSE CASCÁRSELA **ALSO MEANS "TO WANK"**

cascoporro (a) *adv.*
LEFT AND RIGHT, EVERY-WHERE YOU LOOK

—*En esta disco hay pavas **a cascoporro**, si no pillas es que eres un empanao.* • *There are chicks left and right in this club. If you don't score, you're a loser.*

caspa *n.*
1 KITSCH

—*¡Cuánta **caspa** hay en algunos programas!* • *Some TV shows are just loaded with kitsch!*

Literally, it means **dandruff**.

2 casposo/a *adj.*
TRASHY, TACKY, NAFF

—*Torrente es una parodia del tópico del español **casposo**.* • *Torrente is a parody of the trashy Spanish stereotype.*

casquete (echar un) *expr.*
TO SCREW, TO SHAG

—*Echamos un **casquete** tonto y le hice un bombo.* • *We had a quick shag, and I ended up knocking her up.*

ceja *n.*
1 entre ceja y ceja *expr.*
IN ONE'S HEAD

—*Se le metió **entre ceja y ceja** que tenía los dientes torcidos y se puso ortodoncia.* • *She got into her head that her teeth were crooked and got braces.*

2 estar hasta las cejas *expr.*
TO BE UP TO ONE'S EARS, TO BE UP TO ONE'S EYES,

—*Con la hipoteca, la empresa y el coche nuevo, **estamos** endeudados **hasta las cejas**.* • *With the mortgage, the company and the new car, we're up to our ears in debt.*

3 ponerse hasta las cejas *expr.*
TO STUFF ONESELF, TO LOAD UP ON

—*¿Qué tal la cena? ||¡Un festival! **Nos pusimos hasta las cejas** de todo.* • *How was dinner? ||A real party! We stuffed ourselves with everything.*

A MORE VULGAR WAY TO SAY THIS iS PONERSE HASTA EL CULO

cero *adv.*
1 NOT ONE BIT, NOT IN THE SLIGHTEST

—*Con la bronca, el jefe ha conseguido el efecto contrario: ahora estoy **cero** motivada.* • *With his over-the-top reaction, my boss achieved the opposite effect; now I'm not one bit motivated.*

2 ser un cero a la izquierda *expr.*

TO BE USELESS,
TO BE WORTHLESS

—*Fernanda tiene un problema grave de autoestima: es lista y tiene estudios, pero sigue pensando que **es un cero a la izquierda**.* • *Fernanda has a serious lack of self-esteem. She's smart and has a good education, but she still thinks she's worthless.*

chacha *n.*

CLEANING LADY

—*Mi **chacha** es la hostia. Me deja la casa niquelada.* • *My cleaning lady is fucking brilliant. She leaves the house spotless.*

chachi *adj.*

GREAT, SWELL

—*Luego te lo presento y verás que es un tío **chachi**.* • *Later, I'll introduce you, and you'll see that he's a great guy.*

chanchullo *n.*

SHADY DEAL, SHADY BUSINESS, MONKEY BUSINESS

—*Miguel tiene montado un **chanchullo** para cobrar del paro y trabajar a la vez.* • *Miguel has got some shady deal to work and earn unemployment benefits at the same time.*

chapa *n.*

1 dar/soltar la chapa *expr.*

TO BUG, TO GO ON AND ON, TO KEEP ON, TO BADGER

—*Cada vez que veo a Ainhoa, me **suelta la chapa** de la separación.* • *Every time I see Ainhoa, she goes on and on about her breakup.*

2 no pegar (ni) chapa *expr.*

TO NOT LIFT A FINGER, TO TWIDDLE ONE'S THUMBS

—*El chico nuevo **no pega ni chapa** y nos estamos atrasando mogollón.* • *The new guy doesn't even lift a finger, and we're falling really far behind.*

chapero *n.*

HUSTLER, RENT BOY

—*Hace unos años esta calle solía estar llena de **chaperos**.* • *A few years ago, this street was always full of hustlers.*

charco (meterse en un) *expr.*

TO BE IN DEEP SHIT, TO GET (ONESELF) IN DEEP WATER

—*Intenté darles un consejo de buen rollo a Inés y a Roberto sobre la importancia del respeto en la pareja pero **me metí en un charco**.* • *I tried to give Inés and Roberto some friendly advice about respect in a relationship and I just got into deep shit.*

chavo *n.*

MOOLA, DOUGH, BREAD, DOSH [UK]

—*No tengo un **chavo**, pero me voy de vacaciones igualmente.* • *I have zero moola, but I'm going on vacation anyway.*

chepa *n.*

1 HUNCHBACK, HUMP

—*Con lo joven que es, menuda **chepa** tiene Antón.* • *Antón is so young, but still he has a whopping hunchback.*

2 subirse a la chepa *expr.*

TO WALK ALL OVER SOMEONE, TO TAKE ADVANTAGE OF SOMEONE

—*Si no dejas de hacerle favores, se te va a **subir a la chepa**.* • *If you don't stop doing him favors, he'll walk all over you.*

chicha *n.*

1 MEAT ON ONE'S BONES

—*Mi abuela siempre dice que las modelos de ahora tienen poca **chicha**.* • *My grandma always says that today's models have no meat on their bones.*

2 MEAT

—*"Mad Men" mola pero la historia no tiene mucha **chicha**. //¿Pero qué dices?!* • *"Mad Men" is cool and all, but the story doesn't have much meat to it. // Are you crazy?!?*

3 de chicha y nabo *expr.*

RUBBISH, CRAP, JUNK

—*Ese móvil que te has comprado es **de chicha y nabo**. Te durará cuatro días.* • *That mobile you bought is rubbish. It won't last more than four days.*

THE PROPER PRONUNCIATION, AS SPANIARDS WILL SAY IT, IS DE CHICHINABO

4 ni chicha ni limonada *expr.*

NEITHER FISH NOR FOWL

—*La música de este grupo no es **ni chicha ni limonada*** • *This band's music is neither fish nor fowl.*

THE PROPER PRONUNCIATION IS NI CHICHA NI LIMONA´

chicharro *n.*

GOAL

—*Nos metieron un **chicharro** en el último minuto. //¡Qué putada!* • *They scored a goal against us in the last minute of the game. // Fuck me!*

chichi *n.*

COOTER, SNATCH, TWAT

—*¿Sabes que Lady Gaga enseñó el **chichi** en los Brit Awards? //¿Ah,* *sí? ¡Qué bueno!* • *Did you know that Lady Gaga showed her cooter at the Brit Awards?* || *Yeah? That's awesome!*

chinarse *v. prnl.*

TO GET ONE'S PANTIES IN A KNOT [USA], TO GET ONE'S KNICKERS IN A TWIST [UK], TO GET PISSED OFF, TO GET HACKED OFF

—*Tu colega **se china** por nada. El otro día, por ejemplo, se cabreó porque no le avisamos con tiempo del partido.* • *Your friend gets his panties in a knot over nothing. For example, the other day he was ticked, because we didn't tell him about the game on time.*

chinchar *v.*

1 TO PICK AT, TO PESTER

—*Guille se pasa el día **chinchan-do** a su hermano. Con la tontería, aabarán peleados de verdad, ya verás* • *Guille is always picking at his brother. I know it's all in good fun, but they're gonna end up fighting for real. You'll see.*

2 chincharse *v. prnl.*

DEAL!, TO SUCK IT UP

—*¿Te pica la herida Pedrito?* || *Sí.* || *Pues **te chinchas** por haber hecho el burro con la bici.* • *Does it hurt Pedrito?* || *Yeah.* || *Well, deal! You're the one who was acting all stupid on the bike.*

chip *v.*

1 cambiar el chip *expr.*

TO CHANGE ONE'S ATTITUDE, TO CHANGE ONE'S MINDSET

—*Esa relación no va a ninguna parte: **cambia el chip** y olvídate de ella.* • *Your relationship is going nowhere. Change your mindset and forget her.*

2 poner el chip *expr.*

TO BE IN * MODE
(* puede ser cualquier cosa)

—*Aunque todavía me queda una semana de curro yo ya **he puesto el chip** de vacaciones.* • *Even though I still have a week of work left, I'm already in vacation mode.*

chiquitas (no andarse con) *expr.*

TO NOT BEAT AROUND THE BUSH, TO NOT MESS ABOUT, TO NOT TAKE ANY SHIT

—*Miley Cyrus **no se anda con chiquitas**. Ayer en una entrevista puso a parir la saga "Crepúsculo", a los actores y hasta a los fans.* • *Miley Cyrus doesn't beat around the bush. She went off on the "Twilight" saga in an interview yesterday, bad-mouthing the actors and even the fans.*

chitón *n.*

DON'T BREATHE A WORD, HUSH, NOT A WORD

—*Tú, **chitón** de todo lo que te he*

contado. • *Don't breathe a word about anything I've told you.*

chocho *n.*

CUNT, BITCH, PUSSY

Chocho refers to a woman's sexual organs and, by extension, can be used as a vulgar term for a woman in general.

—*¡Este garito está lleno de* **chochos!** • *This joint is full of pussy!*

chocho loco *n.*

SKANK, PARTY GIRL, HUSSY

—*La Vane es un* **chocho loco**. *No aguanta ni dos meses con el mismo tío.* • *Vane's a skank. She's never with the same guy for more than two months.*

cholar *v.*

TO SWIPE, TO PINCH, TO WALK OFF WITH, TO GANK, TO NICK

—*Le han* **cholado** *la cartera en el metro.* • *His wallet got swiped in the metro.*

cholón (a) *expr.*

EVERYWHERE YOU LOOK, LEFT AND RIGHT

—*Yo que tú no entraría en ese foro, hay espoilers* **a cholón**. • *I wouldn't go in that forum if I were you. There are spoilers everywhere you look.*

choni *n. f.*

CHAV [UK]

—*Hay una peli de Bigas Luna, "Yo soy la Juani", que retrata el mundo de las* **chonis** *perfectamente. La prota es la típica chavala de extrarradio.* • *The film "My name is Juani" by Bigas Luna is a perfect depiction of chavs in Spain. The main character is a typical girl from the suburbs.*

chorra *n.*

1 DICK

2 LUCK

—*Tengo una* **chorra** *alucinante: llego tarde al curro y precisamente hoy el jefe está enfermo.* • *I'm lucky as hell. I came in late for work, but of all the days, today the boss was out sick.*

POTRA IS ANOTHER WORD FOR LUCK

3 *adj.* SILLY, STUPID

—*Es un juego* **chorra**, *pero divertido.* • *It's a silly game, but I have fun with it.*

choza *n.*

HOUSE, PLACE

—*¡Menuda* **choza** *tienen! No sé cómo no se pierden.* • *What a place they have! I don't know how they don't get lost in there.*

chulazo *n.*
HOTTIE, HUNK,
STUD (MUFFIN)

—*Tu amigo gay sale siempre con unos* **chulazos** *que flipas.* • *Your gay friend is always going out with some holy-hot hunks.*

chuloputas *n.*
COCKY BASTARD

—*El* **chuloputas** *ese se va a ganar una hostia como siga mirando a mi churri.* • *That cocky bastard's gonna get a pounding if he doesn't stop looking at my girl.*

chungo (dar un) *expr.*
TO MESS ONESELF UP,
TO BLACK OUT

—*A mi compañero de piso le* **dio un chungo** *de tanto beber.* • *My flatmate really messed himself up from drinking so much.*

chupar *v.*
1 TO BE A GAS-GUZZLER,
TO BE THIRSTY

—*¿* **Chupa** *mucho el Seat Córdoba?* // *No, no mucho.* • *Is the Seat Córdoba much of a gas-guzzler?* // *No, not really.*

2 chupar banquillo *expr.*
TO BE ON THE BENCH

—*No es mal jugador, pero siempre* **chupa banquillo** *porque los otros son mejores.* • *He's not a*

bad player, but he's always on the bench, because the others are better.

3 chupar techo *expr.*
TO STARE AT THE CEILING

—*Se puso de speed hasta las cejas y estuvo* **chupando techo** *toda la noche.* // *¡Qué chungo!* • *He loaded up on speed and ended up starting at the ceiling all night.* // *That's fucked up!*

chupón *n.*
FREELOADER, MOOCH

—*Pasa la pelota de una vez,* **chupón.** • *Pass the ball for once, you freeloader.*

chutar *v.*
1 TO WORK

—*Este chisme ya no* **chuta.** // *Se habrán acabado las pilas.* • *That thing doesn't work any more.* // *I bet the batteries wore out.*

2 chutarse *v. prnl.*
TO SHOOT UP, TO TAKE

—*El pobre es un drogata:* **se chuta** *de todo.* • *The poor guy's a druggie. He'll take everything and anything.*

3 y va que chuta *expr.*
TO BE (MORE THAN) ENOUGH

—*Para la fiesta pillaremos dos botellas de vino barato* **y va que chuta.** • *For the party, we'll grab two bottles of cheap wine, and that'll be more than enough.*

chute *n.*

FIX

—*Voy a meterme otro **chute** de café porque me estoy sobando.* • *I'm going to get another fix of coffee, 'cause I'm falling asleep.*

The word **chute** was originally only used for drugs, but now you can get a **chute** of almost anything: coffee, painkillers, chocolate, you name it!

chuzarse *v. prnl.*

TO GET SLOSHED

—*Con lo que mola **chuzarse** en los botellones, va y ahora los prohíben.* • *Getting sloshed out on the street is the best, so what do they do? Go and make it illegal.*

chuzo/a (ir) *expr.*

TO BE BUZZING

—*Me encanta bailar esta canción cuando **voy** todo **chuzo**.* • *I love dancing to this song when I'm buzzing.*

cíber *n.*

INTERNET CAFÉ, CYBERCAFÉ

—*Mierda, no puedo chatear, me caigo todo el rato.* // *Esta conexión es una mierda, vamos a otro **cíber**.* • *Shit, I can't chat. I keep going offline.* // *This connection sucks. Let's go to a different Internet café.*

cirio (montar un) *expr.*

TO MAKE A FUSS, TO MAKE A ROW, TO GIVE OR TO GET A BOLLOCKING

—*Menudo **cirio me montó** la de abajo porque hicimos ruido el sábado.* • *The bat from downstairs made a huge fuss over the noise we made on Saturday.*

claro (tenerlo/ llevarlo) *expr.*

TO NOT BE EASY, TO BE NO FUCKING WAY

—***Lo llevas claro** si crees que te voy a dejar el coche.* • *It won't be easy if you think I'm going to let you use the car.*

clavo *n.*

1 agarrarse a un clavo ardiendo *expr.*

TO GRASP AT STRAWS, TO CLUTCH AT STRAWS

—*Tu colega **se agarra a un clavo ardiendo** con tal de salir adelante.* • *Your friend is grasping at straws to get ahead.*

2 como un clavo *expr.*

ON THE DOT

—*Me voy ya porque he quedado con Blanca y siempre es puntual **como un clavo**.* • *I'm heading out, because I made plans with Blanca and she always shows up on the dot.*

3 dar en el clavo *expr.*
TO HIT THE MARK,
TO HIT THE NAIL ON THE
HEAD, TO GET IT RIGHT

—*Microsoft ha dado en el clavo con el Windows Phone 7.* • *Microsoft really hit the mark with the new Windows Phone 7.*

clencha *n.*
LINE (OF COKE)

—*Manuel se mete las clenchas dobladas.* ǁ *Pues cualquier día le da un chungo.* • *Manuel does one line after another.* ǁ *He's gonna fuck himself up real bad one of these days.*

This term is mainly used in Catalonia.

cojones (de tres pares de) *expr.*
ONE HELL OF

—*Me porté como un cerdo y, claro, me cayó una bronca de tres pares de cojones.* • *I was a royal jerk, so of course, I got one hell of an ass-chewing.*

cola (traer) *expr.*
TO COME BACK TO BITE
SOMEONE IN THE ASS [USA],
TO COME BACK TO HAUNT YOU

—*Hacerlo por nuestra cuenta traerá cola, ya verás.* • *Doing it ourselves will come back to bite us in the ass. You'll see.*

colarse *v. prnl.*
1 TO SNEAK IN

—*En verano nos colamos en las piscinas de los hoteles para ver a las pavas.* • *In the summer, we sneak in the hotel pools to check out the ladies.*

2 colar algo a alguien *expr.*
TO BE GULLIBLE, TO BE EASY
TAKEN IN

—*¿Cómo se te ocurre hacerles caso? Si es que te las cuelan todas.* • *What were you thinking believing them? You're so gullible.*

compi *n., abbrev.*
MATE [UK], BUDDY [USA]

—*Mis compis montan una fiesta esta noche.* ǁ *¿Puedo pasarme o qué?* • *My buddies are throwing a party tonight.* ǁ *So, can I stop by?*

coña (ni de) *expr.*
NO WAY (IN HELL)

—*Yo no me pongo ese sombrero ni de coña.* • *There's no way in hell I'd wear that hat.*

coñazo (dar el) *expr.*
TO BUG, TO RIDE

—*Si viene tu amigo el soltero, ni me llames. Se pasa toda la noche dándome el coñazo para ver si se me liga.* • *Don't even bother calling if your single friend is coming. He spends all night bugging me to see if I'll get it on with him.*

copón (del) *expr.*

BLOODY [UK], FRIGGIN'

—*En el norte de España hace una rasca **del copón**.* • *It's bloody cold in the north of Spain.*

cornudo *n.*

CUCKOLD

—*En la oficina dicen que Manuel es un **cornudo**.* • *At the office, they say Manuel is a cuckold.*

Cornudo literally means "horned". Spaniards also use the word **cornamenta** (antlers) in the expression **llevar una cornamenta** to say that someone's partner is cheating on him or her. For example, you can say: **Manuel lleva una cornamenta que no veas** (Manuel is an out-and-out cuckold).

cortarse *v. prnl.*

TO HOLD BACK, TO BE SHY

—*No **te cortes** y come lo que quieras. Estás en tu casa, chaval.* • *Don't be shy and eat whatever you want. Feel at home.*

cosa (dar) *expr.*

TO FEEL AWKWARD, TO GIVE SOMEONE THE HEEBIE-JEEBIES, TO GROSS OUT

—*Me **da cosa** decírselo porque es muy sensible.* • *I feel uncomfortable telling him, because he's really sensitive.*

coscarse *v. prnl.*

TO NOTICE, TO REALIZE

—*¿Qué haces bailando? El concierto ya se ha acabado. // Pues no **me había coscado**, tío.* • *What are you doing still dancing? The concert's over already. // Oh, I didn't notice.*

cotarro (manejar el) *expr.*

TO CALL THE SHOTS, TO RULE THE ROOST

—*Los que de verdad **manejan el cotarro** son los del Grupo Bilderberg.* • *The people from the Bilderberg Group are the ones who really call the shots.*

Cristo *n.*

1 estar hecho un Cristo *expr.*

TO BE A PITIFUL SIGHT, TO BE A PIGSTY, TO BE A MESS, TO LOOK LIKE HELL

—*Antes de recoger, la habitación **estaba hecha un Cristo**.* • *Before he tidied up, his room was an absolute pigsty.*

2 montar un Cristo *expr.*

TO THROW A FIT, TO MAKE A FUSS, TO MAKE A ROW, TO THROW A WOBBLY, TO GET INTO A STROP

—*Cuando le dije que me iba de vacaciones solo, me **montó un Cristo**.* • *He threw a fit when I told him I was going on vacation alone.*

3 ni Cristo *expr.*
NOBODY

—De aquí no se mueve **ni Cristo** hasta que hayáis pagado. • Nobody's leaving until you've all paid.

YOU CAN ALSO SAY NI DIOS

4 todo Cristo *expr.*
EVERYONE AND THEIR (KID) BROTHER, EVERYONE AND THEIR DOG

—**Todo Cristo** acudió a la despedida de soltera de Cristina. • Everyone and their kid brother was at Cristina's bachelorette party.

YOU CAN ALSO SAY TODO QUISQUI **OR EVEN** TODO DIOS

cruzado/a (tener) *expr.*
TO BE ON ONE'S SHIT LIST

—A ese escritor **lo tengo cruzado** desde que le dieron el Planeta y soltó la chapa en todas las teles. • That writer's been on my shit list ever since he won a Planeta Award and started shooting his mouth off on every TV station.

Cuenca (poner mirando a) *expr. (vul.)*
TO TAKE SOMEONE THROUGH THE BACK DOOR, TO GIVE IT TO SOMEONE FROM BEHIND

—Joder, a Natalia la **ponía** yo **mirando a Cuenca**. • Fuck, I'd take Natalia through the back door.

cuerda (dar) *expr.*
TO HUMOUR, TO ENCOURAGE, TO PLAY ALONG WITH

—No le **des** tanta **cuerda**, luego no hay quien se lo quite de encima. • Don't humor him so much. Later, we'll never be able to get rid of him.

culebrón *n.*
SOAP OPERA

—Tu vida amorosa es de **culebrón** total. • Your love life would make a good soap opera.

culo *n.*
1 dar por culo *expr.*
a TO IRK, TO PEEVE, TO PISS OFF

—Me **da por culo** tener que hacer siempre lo que dice el jefe. Igual me piro de la empresa y me lo monto por mi cuenta. • It peeves me that I always have to do what the boss says. You know, I might just quit and start my own business.

b TO NOT GIVE A SHIT, TO NOT GIVE A RAT'S ASS, TO NOT GIVE A TOSS

—Lo que diga mi padre me **da por culo**, pienso hacer lo que me dé la gana. ● *I don't give a shit what my dad says. I'll do whatever I want.*

2 dejar con el culo al aire *expr.*

TO LEAVE SOMEONE HANGING

—*Decidimos montar un bar juntos, pero el cabrón me **dejó con el culo al aire**.* ● *We agreed to open the bar together, but the bastard up and left me hanging.*

3 hasta el culo *expr.*

LOADED, FLAT OUT

—*Voy **hasta el culo** de drogas. Si tomo algo más, igual, palmo.* ● *I'm loaded on drugs. I'll probably die if I take anything else.*

4 ir de (puto) culo *expr.*

TO BE (FUCKING) BUSY

—*Desde que cambié de curro **voy de puto culo**. // Ya, pero te dan más vacaciones y ganas más pasta.* ● *I've been fucking busy ever since I switched jobs. // Yeah, but you also get more vacation and make more money.*

5 mandar a tomar por culo *expr.*

TO TELL SOMEONE TO FUCK OFF

—*Estaba hasta las narices de las manías de mi compañero de piso y lo **mandé a tomar por culo**. // Búscate una churri, tío.* ● *I got sick and tired of my roommate's pet peeves and told*

him to fuck off. // Dude, get a girlfriend.

6 tener el gusto en el culo *expr.*

TO HAVE CRAPPY TASTE

—*Me encanta Chenoa, canta tan bien... // Tía, **tienes el gusto en el culo**.* ● *I love Chenoa. She's such a good singer... // Girl, you have crappy taste.*

currado/a *adj.*

1 This means "good" or "detailed" but with the sense that a lot of work went into the final result.

—*¿Te mola la página web que he hecho? // Sí, está muy **currada**.* ● *Do you like the website I made? // Yeah, it looks really good, like you put a lot of work into it.*

2 SCRUFFY, TATTY

—*Píllate unas zapas nuevas, que estas están muy **curradas**. // Ya me gustaría, pero no tengo pasta, tío.* ● *Go get yourself some new kicks. These ones are really scruffy. // I'd love to, man, but I'm short on dosh.*

Currar is the slang way of saying "to work". **Currado/a** is used for things that are really worn or have taken a lot of work.

MI TÍO CARLOS ES UN DESCOJONE TOTAL. SI NO FUERA POR ÉL, LA CENA DE NAVIDAD SERÍA UN COÑAZO.

MY UNCLE CARLOS IS A REAL HOOT. CHRISTMAS DINNER WOULD BE DEAD BORING IF IT WEREN'T FOR HIM

dar *v.*

TO SMACK

—*En Facebook hay un grupo que se llama "¿Le **das** tú o le **doy** yo?"* • There's a group in Facebook called "Are you gonna smack him or should I?"

descojone *n.*

A REAL HOOT, A GOOD LAUGH

—*Mi tío Carlos es un **descojone** total. Si no fuera por él, la cena de Navidad sería un coñazo.* • My uncle Carlos is a real hoot. Christmas dinner would be dead boring if it weren't for him.

doblada (metérsela) *expr.*

TO SHAFT, TO RIP OFF

—*El pijo de tu jefe pidió un whisky de 12 años y el camarero*

se la metió doblada: le cobró un pastón por uno de 4. • Your fancy-schmancy boss ordered a 12-year-old whisky and got totally shafted by the waiter. They charged him a fortune for one that was only four years old.

doblado/a (meterse algo) *expr.*

ONE AFTER ANOTHER

—*No para de toser, pero **se mete** los pitis **doblados**.* • He can't stop coughing, but he still smokes one after another.

dotado (bien) *adj.*

(WELL) HUNG

—*Como llevaba pantalones ceñidos, se veía que estaba **bien dotado**.* • He was wearing tight pants, so you could see that he was well hung.

dura (ponerse) *expr.*

TO GET A HARD-ON, TO GET HARD, TO BE TURNED ON

—*Desde que está gorda, no **se me pone dura** ni pa'trás.* • Since she got fat, I can't get hard to save my life.

duro (lo que faltaba para el) *expr.*

THE LAST STRAW

—*Ayer me mangaron la moto y hoy, la bici. ¡**Lo que faltaba para el duro**!* • Yesterday they stole my motorcycle, and today, my bike. That's the last straw!

others are just silly word games or rhymes: **¿diga melón?** (come again?), **nasti de plasti** (no way), **guay del Paraguay** (rad), etc.

embutirse *v. prnl.*

TO SQUEEZE INTO

—*Tengo que **embutirme** en este vestido como sea. ¡Con la pasta que me ha costado!* • *I have to squeeze into this dress no matter what. I paid a fortune for it!*

efectiviwonder *adv.*

YOU GOT IT, QUITE!
A play on **efectivamente** (exactly) and the name Stevie Wonder.

—*¿Me estás diciendo que el jefe te ha dicho que tenemos que acabarlo todo esta tarde? ¿Me estás diciendo eso, Miguelito?* //***Efectiviwonder**.* • *So, Miguelito, you're telling me that the boss said we have to finish up everything this afternoon?* // *You got it.*

There are dozens of expressions from the 80s and 90s with a vintage feel that are making a comeback. Some are related to famous bands: **¿pero qué Pretenders?** (what are you up to?, a play on the expression "¿qué pretendes?"), **ser un pinfloi** (to be a sucker/loser, from Pink Floyd), etc. Others involve Hollywood actors: **la cagaste Burt Lancaster** (you fucked up) or **no te enrolles Charles Boyer** (cut the crap, cut it out). Still

empalmar *v.*

TO PULL AN ALL-NIGHTER

—*Si la fiesta se alarga demasiado, **empalmaremos**.* • *If the party goes on too long, we'll just pull an all-nighter.*

emparanoiarse *v. prnl.*

1 TO GET (ALL) PARANOID

—*Creo que en el curro todo Dios me pone a parir a mis espaldas.* // *Tía, ¡qué dices! No **te emparanoies**.* • *I keep getting the feeling that everyone at work is bad-mouthing me behind my back.* // *Girl, what are you saying?! Don't get all paranoid.*

2 emparanoiado/a *adj.*
PARANOID

—*Estás un poco **emparanoiado**, ¿no?, con lo de que te van a dar la patada en el curro.* • *You're a little paranoid thinking that they're going to give you the boot at work.*

empujar *n.*

TO SHAG, TO BONK

—*Mis vecinos son la polla. Se ponen a **empujar** cada día a las tres de la mañana y hacen que retumbe todo el edificio.* • *My neighbors are just too much. They start bonking every day at 3:00 a.m. and soon the whole building is shaking.*

endiñar *v.*

TO FOB OFF ONTO SOMEONE, TO SADDLE SOMEONE WITH, TO LUMBER SOMEONE WITH

—*Andrés siempre le **endiña** el curro a Manu. Es un puto jeta.* • *Andrés always fobs his work off onto Manu. He's got some real nerve.*

engorile *n.*

This word is used to describe the good vibes or good atmosphere between skaters.

—*Que en el parque haya tanta poli no ayuda nada al **engorile**.* // *Ya, la peña se corta y patina menos.* • *So many cops around is not exactly good for the skate park vibes.* // *I know. People hold back and skate less.*

enmarronar *v.*

TO GET SOMEONE MIXED UP IN

—*Mis primos me han **enmarronado** y no sé cómo decir que no.* • *My cousins have got me mixed up in, and I don't know how to say no.*

escaquearse *v. prnl.*

1 TO WORM OUT, TO PASS THE BUCK, TO SKIVE OFF [UK]

—*A la hora de pagar, siempre se **escaquea**.* • *He always skives off when it's time to pay.*

2 escaqueo *v.*

SHIRKAGE

—*¡Vaya **escaqueo** ha habido hoy en el trabajo! Con la de curro que había, de ocho hemos venido solo tres.* • *Major shirkage at work today! All the work we had, and only three of eight came in!*

espoilear *v.*

TO SPOIL

—*Id a **espoilear** la peli a otra parte. He quedado mañana para verla.* • *Go spoil the movie somewhere else. I have plans to go see it tomorrow.*

esponja *n.*

1 LUSH

—*Manuel es una **esponja**: bebe desde que se levanta hasta que se acuesta.* • *Manuel's a lush. He drinks from the moment he gets up till the moment he goes to bed.*

2 SPONGE

—*Tío, eres una **esponja**: te quedas con todo a la primera.* • *Dude, you're a sponge. You pick up everything the first time through.*

faltar (sin) *expr.*
WITH RESPECT,
RESPECTFULLY

—*Tu hermana se está poniendo como una foca...* // *Oye,* **sin faltar,** *¿eh?* • *Your sister is starting to look like a cow...* // *Hey, with respect, eh!*

faltón *adj.*
RUDE, DISRESPECTFUL

—*¿Me estás llamando* **faltón**? • *Are you calling me rude?*

fantasma *n.*
POSER, SHOW-OFF

—*Tu hermano es un* **fantasma,** *se pasa el día fardando de novia, de coche...* • *Your brother's a poser. He can't stop bragging about his girlfriend, his car, his whatever.*

fario (mal) *expr.*
BAD LUCK, JINX

—*Cruzarte con un gato negro da* **mal fario.** // *Yo no creo en esas chorradas.* • *Running into a black cat is bad luck.* // *I don't believe in all that crap.*

farla *n.*
BLOW

—*Ese camello vende una* **farla** *muy cortada y muy barata.* • *That dealer sells some very fine, very cheap blow.*

farol *n.*
1 BLUFF, TALK, HYPE

—*No te creas nada de lo que dice: son todo* **faroles.** • *Don't believe anything he says. It's all talk.*

2 farolear *v.*
TO TALK BIG, TO BE A BIG TALKER

—*Sé perfectamente cuánto gana. Está* **faroleando.** • *I know exactly how much he makes. He's just talking big.*

farruco/a (ponerse) *expr.*
TO GET CHEEKY,
TO GET COCKY

—*Cuando* **se pone farruco,** *lo mejor es darle la razón y ya está.* • *When he gets cocky, the best thing is to do is say he's right and leave it be.*

fenómeno _adj._

WHIZ (KID), BOY WONDER,
GIRL WONDER

—_Ese tío es un **fenómeno**: es bueno en todo lo que hace._ • _He's a boy wonder. He's good at everything he does._

festival _n._

PARTY

—_Los padres de mi novia se van de puente. Menudo **festival** montaremos._ • _My girlfriend's parents are going away for a long weekend. We're gonna have a killer party._

festivalero/a _adj., n._

FESTIVAL JUNKIE

—_Los **festivaleros** peregrinan por todo el país en busca de música._ • _The festival junkies travel all over the country in search of music._

fichaje _n._

ADD-ON, SIGN-ON, SIGNING

—_Éramos un grupo muy cachondo, pero con los últimos **fichajes** nos hemos superado._ • _We were a really fun group, but with the latest sign-ons, we're even better._

fiestón _n._

KILLER PARTY

—_Nos han invitado a un **fiestón** que te cagas._ || _Ya, macho, yo llevo tres días atacado._ • _They invited us_

to a killer party. || _I know, I've been on edge for the last three days._

fiestuqui _n._

PARTY, THE ACTION

—_Hace siglos que no salimos de **fiestuqui** con los de la uni._ • _It's been ages since we partied with the college mates._

finolis _n._

HOITY-TOITY, POSH

—_No te lo pierdas, ahora Paco va de **finolis**: corbatita, restaurantes caros, etc. ¡Pa flipar!_ || _Pero si es un quillo._ • _Get this! Paco's acting all hoity-toity now: a tie, fancy restaurants, you name it. It's hilarious!_ || _What?! But he's a chav._

flapa (írsele la) _expr._

TO GO CRAZY, TO GO MAD,
TO LOSE IT

—_A Eva **se le va la flapa**. Ayer se pilló un vuelo a Estambul, ¡pero no tiene vacaciones!_ • _Eva's going crazy. Yesterday, she grabbed a flight to Istanbul, but doesn't even have any time off!_

fliparse _v. prnl._

1 TO GET (ALL) WORKED UP,
TO GET EXCITED

—_¡He recibido mogollón de felicitaciones por mi cumple!_ || _No te **flipes**, si no tuvieras Facebook nadie se acordaría del día._ • _Tons of_ *people wished me happy birthday! // Don't get all excited. No one would remember your birthday if you didn't have Facebook.*

ANOTHER, EVEN MORE COLLOQUIAL WAY TO SAY THIS IS FLIPÁRSELO

2 flipado/a *adj.*

MANIAC

—*Es un **flipado** del tuning. Domina un huevo de tiendas, complementos, todo.* • *He's a tuning maniac. He knows tons of stores, parts, everything.*

flipe *n.*

THE BOMB, AWESOME

—*Te he mandado un vídeo por mail. Míralo porque es un **flipe**.* • *I e-mailed you a video. Watch it. It's the bomb.*

floja (traérsela) *expr.*

TO NOT GIVE A SHIT, TO NOT GIVE A FLYING FUCK

—*A Paco **se la trae floja** que Ainhoa esté desesperada.* • *Paco doesn't give a shit that Ainhoa's out of her mind.*

flores *n. pl.*

1 echar flores *expr.*

TO SING THE PRAISES, TO HEAP PRAISE ON

—*No hace más que **echarle flores***

a su novia. • *He's constantly heaping praise on her girlfriend.*

2 ni flores *expr.*

ZILCH, DIDDLY-SQUAT, FUCK ALL [UK], JACK SHIT [USA]

—*De todo lo que dijo el conferenciante no entendí **ni flores**.* • *I didn't understand diddly-squat of what the presenter said.*

foca *n.*

WHALE (literally **seal**)

—*He vuelto de las vacaciones hecho una **foca**.* • *I came back from vacation looking like a whale.*

folla (mala) *expr.*

1 NASTY SIDE, NASTY STREAK

—*Cuidado con la lejía, que tiene muy **mala folla** y te puede joder un vestido.* • *Watch out with bleach. It's got a nasty side to it and can fuck up a dress*

2 poner de mala folla *expr.*

—*De todas las cosas que me **ponen de mala folla**, la que más me cabrea es que cuando estás hablando con alguien, tu interlocutor, sin decírtelo directamente, te da a entender que lo que le estás contando le importa un carajo. //¿Cómo dices?* • *Off all the things that really get on my tits, what pisses me off the most is when the person you're talking to makes it obvious that they don't give a shit about what you're saying. // Sorry, you were saying?*

follamigo/a *n.*
FUCK BUDDY

—*Tengo un **follamigo** que creo que se está enamorando de mí.* • *I have a fuck buddy who, I think, is starting to fall in love with me.*

follonero/a *n.*
TROUBLEMAKER

—*Madre 1: Un tal Miguel Palacios le ha pedido una cita a mi hija. ¿Sabes si es buen estudiante? || Madre 2: ¡Qué va! Es el **follonero** de la clase.* • *Mom 1: Some kid named Miguel Palacios asked out my daughter. Do you know if he's a good student? || Mom 2: The opposite! He's the class troublemaker.*

forro (pasarse algo por el) *expr.*
TO NOT (EVEN) BLIP ON ONE'S RADAR, TO NOT GIVE A TOSS

—*¿Sabes qué? Todo lo que me dices **me lo paso por el forro**.* • *You know what? Nothing you say even blips on my radar.*

freír *v.*
mandar a freír espárragos *expr.*
TO TELL SOMEONE TO GET LOST

—*Estaba tan harta de mi marido que lo **mandé a freír espárragos**.* • *I was sick of my husband that I told him to get lost.*

fresco *adj.*
1 quedarse tan fresco *expr.*
WITHOUT BATTING AN EYE, WITHOUT BATTING AN EYELID

—*Despidió a su empleado más leal y **se quedó tan fresco**, el muy cabrón.* • *He fired his most loyal employee without batting an eye, the bastard.*

2 traérsela al fresco *expr.*
COULD(N'T) CARE LESS, TO NOT GIVE A HOOT, TO NOT GIVE A DAMN

—***Me la trae al fresco*** *quién gane el Mundial.* • *I couldn't care less who wins the World Cup.*

frito/a (tener) *expr.*
TO BE FED UP WITH

—*Mi hijo me **tiene frito** con los regalos de Navidad. Ha hecho una carta de Papá Noel de cuatro hojas.* • *My son's got me fed up with Christmas presents. He wrote a letter to Santa Claus four pages long.*

furular *v.*
TO WORK

—*Me he gastado una pasta para arreglar el ordenata y sigue sin **furular**.* • *I spent a fortune to fix the computer, and it still doesn't work.*

gabacho/a *n.*
FROG

—Llamar **gabachos** a los franceses es políticamente incorrecto. • It's not politically correct to call Frenchmen frogs.

gafapasta *n.*
HIPSTER

—En el concierto no había más que **gafapastas** y groupies. • At the concert, there was nothing but hipsters and groupies.

gafotas *n.*
FOUR-EYES

—En el cole me llamaban "**gafotas**". Fue muy traumático. • At school, they called me "four-eyes." It was so traumatic.

gallina *adj., n.*
CHICKEN (SHIT), WEED, WUSS, WOOSE

—Es un **gallina**: no se atreve a hacer parapente. • He's a chicken; he's scared to go paragliding.

gallito (ponerse) *expr.*
TO GET COCKY, TO GET CHEEKY

—**Se pone** muy **gallito** delante de las chicas. Cree que así ligará más. • He gets really cocky around women. He thinks that will help him flirt better.

Ponerse chulito/a is another way to say the same thing.

gandulitis *n.*
CONGENITAL LAZINESS

—Tiene **gandulitis** aguda desde que nació. • He's had a severe case of congenital laziness ever since he was born.

garete (irse al) *expr.*
TO GO TO THE DOGS

—¿Soy yo o este país **se está yendo al garete**? • Is it just me or is this country going to the dogs?

In addition to **irse al garete**, plans, relationships, friendships, grades, sex life, homes... can also **irse al traste** and **irse a la mierda**.

gayola (hacerse una) *expr.*
TO CHOKE THE CHICKEN, TO SPANK THE MONKEY

—*Como te sigas haciendo tantas gayolas, te quedarás ciego.* • *If you don't stop spanking the monkey, you'll go blind.*

Just like in English, there are dozens of ways to say you are choking the chicken, flogging the dolphin or slapping the salami. Some of the most common (and potentially vulgar) are **cascársela, pelársela** and **hacerse una paja**. Others are more creative, including **darle a la zambomba** and **hacer un cinco contra uno**.

globo *n.*
1 globos *n. pl.*
BOOBS, JUGS, JUBBLIES

—*Esos globos son operados.* • *She's had work done on those boobs.*

2 pillarse un globo *expr.*
TO GET HIGH

—*Cada vez que sale, se pilla unos globos que no veas.* • *Every time she goes out, she gets high as a kite.*

gordo/a *adj.*
1 caer gordo/a *expr.*
TO RUB SOMEONE UP, TO RUB SOMEONE THE WRONG WAY

—*Odio las mates y encima el profe me cae gordo.* • *I hate maths, and on top of it, the teacher rubs me up.*

2 ponérsele gorda *expr.*
TO HAVE OR TO GET A STIFFIE, TO HAVE OR TO GET A WOODIE

—*Es ver a ese pibón y que se me ponga gorda.* • *One look at that chick and I've got a stiffie.*

gorrear *v.*
TO MOOCH, TO CADGE [UK]

—*Cuidado con ese. A las fiestas solo viene a gorrear alcohol y tabaco.* • *Watch out with that guy. He just comes to parties to mooch alcohol and tobacco.*

gorro (estar hasta el) *expr.*
TO HAVE HAD IT UP TO HERE, TO BE FED UP

—*Estoy hasta el gorro de Carolina y sus paranoias.* • *I've had it up to here with Carolina and all her paranoia.*

griego *n.*
BUTT SEX, ANAL SEX

—*En todos los anuncios de prostitución se habla del griego.* • *All of the prostitution ads talk about butt sex.*

guapo/a *adj.*
1 COOL, NICE

—*Qué **guapa** la moto.* • *That's such a cool bike.*

2 ponerse guapo/a *expr.*
TO LOAD UP, TO PIG OUT

—*En el banquete de boda **nos pusimos guapos** de langostinos.* • *We pigged out on king prawns at the wedding banquet.*

guasa (estar de) *expr.*
TO BE KIDDING, TO BE JOKING, TO YANK ONE'S CHAIN

—*Jorge siempre **está de guasa**. Nunca sabes si habla en serio o no.* • *Jorge's always yanking your chain. You never know whether or not he's serious.*

YOU CAN ALSO ESTAR DE CACHONDEO

guays (ir de) *expr.*
TO THINK ONE IS ALL THAT, TO THINK ONE IS THE SHIT

—*Conozco a un montón de publicistas y todos **van muy de guays**.* • *I know tons of publicists, and they all think they're all that.*

guita *n.*
CASH, BREAD, DOSH, CHEESE, GREEN [USA]

—*Como no tiene **guita**, nunca va de vacaciones.* • *Since he doesn't have any cash, he never goes on vacation.*

guripa *n.*
COP, PIG

—*Cuando llegaron los **guripas** ya se había pirado todo quisqui.* • *When the cops got there, everyone had already hit the door.*

gusanillo *n.*
1 entrar el gusanillo *expr.*
TO FEEL PECKISH [UK], TO GET THE MUNCHIES

—*De tanto hablar de comida **me ha entrado el gusanillo**.* • *All this talking about food has made me feel a bit peckish.*

2 picar el gusanillo *expr.*
TO GET THE * BUG
(* puede ser cualquier cosa)

—*Me empieza a **picar el gusanillo** de tener un bebé.* • *I'm starting to get the baby bug.*

3 quedarse con el gusanillo *expr.*
TO MISS OUT ON SOMETHING

—*El verano pasado pillé una hepatitis el día antes de salir para Marruecos y como **me quedé con el gusanillo**, este año quiero ir sí o sí.* • *Last summer, I got hepatitis the day before I was supposed to go to Morocco. Since I missed out, this year I want to go no matter what.*

TÍO, SÚBETE LOS GAYUMBOS, QUE SE TE VE LA HUCHA • DUDE, PULL UP YOUR SKIVVIES. I CAN SEE YOUR CRACK

hacha (ser un) *expr.*
TO BE A WHIZ, TO BE ACE

—*Mi primo es un hacha con los billetes de avión. Siempre encuentra gangas.* • *He's a whiz at getting plane tickets. He always finds the best deals.*

heavy *adj.*
HEAVY, WICKED

—*¿Paco se casa otra vez? ¡Qué heavy!* • *Paco's getting married again? That's heavy!*

hetero *adj.*
STRAIGHT

—*Yo paso de ir a ese bar de heteros. ¡Como si no hubiera bares de ambiente en Chueca!* • *I'm not going to no straight bar. As if there weren't any gay bars in Chueca!*

hinchar los cojones *expr.*
TO TORK SOMEONE OFF, TO PISS SOMEONE OFF

—*Como me hinches los cojones, te dejo aquí tirado, ¿eh?* • *Piss me off and I'm outta here. Got it?*

If you don't want to be so vulgar, use the expression **hinchar las narices**. On the other hand, if you'd like to vary up your vulgar, you can give **hinchar/tocar las pelotas/los huevos** a try. Feel free to combine at will!

hucha *n.*
(BUTT)CRACK

—*Tío, súbete los gayumbos, que se te ve la hucha.* • *Dude, pull up your skivvies. I can see your crack.*

huerto (llevar o llevarse al) *expr.*

1 TO LEAD SOMEONE DOWN THE GARDEN PATH, TO DUPE, TO HOODWINK

—*Se lo llevó al huerto diciéndole que las comisiones serían la hostia.* • *He lead her down the garden path, saying that the commissions would be really high.*

2 TO TAKE SOMEONE TO THE PROMISED LAND

—*Se llevó a Mamen al huerto la primera noche.* • *He took Mamen to the promised land on the first night.*

hueso *n.*

1 estar (loco/a) por los huesos de alguien *expr.*
TO BE HOT FOR SOMEONE,
TO BE CRAZY FOR SOMEONE

—Desde que la conocí **estoy loquito por sus huesos.** • *I've been crazy for her ever since we first met.*

2 quedarse en los huesos *expr.*
TO BE (ALL) SKIN AND BONES,
TO BECOME (ALL) SKIN AND BONES

—Después de la separación **se quedó en los huesos.** *Daba hasta cosa verle.* • *After the separation, he became all skin and bones. It was hard to even look at him.*

huevo *n.*

1 ¡manda huevos! *expr.*
FUCK A DUCK [USA], BLOODY HELL [UK]

—¿Te acuerdas de mi ex, el que no quería casarse ni pa'trás? // Claro. // Pues se casa con otra. // **¡Manda huevos!** • *Do you remember my ex, the one who was adamant about not getting married? // Of course. // Well, he's getting hitched with another woman. // Fuck a duck!*

In 1997, the President of the Spanish Congress, Federico Trillo, forgot to turn off the microphone and the whole Congress heard him complain about having to announce the vote on a bill with a long and complicated name. Ever since then, **¡manda huevos!** has been a catchphrase in Spain, and when people hear it, they can't help but think of Mr. Trillo and his very public blunder.

2 tocar los huevos *expr.*
TO PISS SOMEONE OFF,
TO GET ON ONE'S WICK

—No me **toques los huevos** que me han echado del curro y estoy de muy mala hostia. • *Don't piss me off. I got fired, and I'm in a really bad mood.*

If you replace **huevos** with **narices**, you'll be saying the exact same thing but sound just a tad more graceful. So, **¡no me toques las narices!**

3 ¡y un huevo! *expr.*
WHATEVER!, DREAM ON,
LIKE HELL I DO!

—Ven pa'cá, que tienes que fregar los platos. // **¡Y un huevo!** • *Get over here. You have to wash the dishes. // Like hell I do!*

TO KEEP THINGS INTERESTING, YOU CAN ALSO SAY ¡LOS COJONES! OR ¡Y UNA MIERDA!

idea (no tener ni puta) *expr.*

TO NOT HAVE A FUCKING
CLUE, TO NOT KNOW A
FUCKING THING

—*No tengo ni puta idea de
inglés, pero me voy a vivir un año
a Estados Unidos.* • *I don't know
a fucking thing about English, but
I'm still going to go to the US for
a year.*

ilu (hacer) *expr.*

TO BE EXCITED,
TO BE THRILLED

—*Esta boda me **hace** mucha **ilu**.* •
I'm really excited about this wedding.

**ILU IS A SHORT,
SLANGY FORM OF
THE WORD ILUSIÓN**

infumable *adj.*

AWFUL, TERRIBLE,
TOO MUCH, CRAP

—*La peli es **infumable**, estuve a
punto de irme del cine.* • *It's an
awful movie. I just about walked
out of the cinema.*

intragable *expr.*

TOO MUCH, INSUFFERABLE,
AWFUL, RUBBISH

—*El discurso de ese político es
intragable. Es un populista de la
hostia.*• *That politician's speech is
just too much. He's the worst kind
of populist.*

ir *v.*

1 ir de algo *expr.*

TO ACT ALL *,
TO PUT ON A * ACT

(* puede ser cualquier adjetivo
que describa a una persona)

—*María **va de** dura por la vida,
pero en realidad es una pava.*•
*María acts all tough, but she's
really just clueless.*

2 irle algo a alguien *expr.*

TO BE INTO

—*La Play no **me va** mucho. Para
desconectar prefiero ir a tomarme
algo por ahí con los colegas.* • *I'm
not all that into the Playstation. To
clear my mind, I'd rather go for a
drink with my friends.*

jamacuco (dar un) *expr.*

TO BE LAID UP, TO PASS OUT, TO ZONK OUT, TO BLACK OUT

—*Tras el shock de la muerte, le **dio un jamacuco** y estuvo dos días en la cama.* • *After the initial shock of the death, she was laid up in bed for two days.*

> You can also say **dar un yuyu, dar un telele** and **dar un chungo.**

japo *n., abbrev.*

JAPANESE

Usually refers to a Japanese restaurant.

—*Mañana podríamos ir a cenar a un **japo**. // Yo paso, en los japos te gastas una pasta y siempre te quedas con hambre.* • *We could go for Japanese for dinner tomorrow. // Count me out. At Japanese*

restaurants, you end up spending a fortune and still go home hungry.

jardín (meterse en un) *expr.*

TO GET OR TO FIND ONESELF IN DEEP WATER, TO BE IN DEEP SHIT

—*No hables de machismo con tu novia porque **te metes en un jardín** fijo.* • *Don't talk about machismo with your girlfriend. You'll find yourself in deep water for sure.*

jari *n.*

SCENE, FIT, RUCKUS

—*Menudo **jari** se montó para decidir dónde cenábamos.* • *You should have seen the ruckus she made over where we were gonna have dinner.*

jeto *n.*

(UGLY) MUG

—*Mira la foto que se ha puesto Miki en el Facebook. //¡Buah! ¡Vaya **jeto**, colega!* • *Check out the pic Miki posted on Facebook. // Woah! Now that's an ugly mug!*

julai *n.*

SUCKER, FOOL, IDIOT

—*El vendedor de coches de segunda mano nos tomó el pelo. Somos unos **julais**.* • *The used car salesman played us. We're such suckers.*

labor (estar por la) *expr.*
TO BE UP FOR IT

—*Yo quiero buscar una casa más grande, pero mi churri no **está por la labor.*** • *I want to find a bigger place, but my girl's not up for it.*

lagarta *n.*
SKANK [USA], SLAG [UK]

—*Marta es una **lagarta**, intenta ligarse a los novios de sus amigas.* • *Marta's a skank. She tries to hook up with all her friend's boyfriends.*

leche
1 a toda leche *expr.*
FULL THROTTLE, TO BEAT SIXTY [USA]

—*Íbamos **a toda leche** por la autopista hasta que la poli nos paró.* • *We were cruising down the highway full throttle until we got pulled over by the cops.*

2 mala leche *expr.*
a BAD KARMA, BAD LUCK

—*Aficionado del Osasuna: ¡Qué **mala leche**! Nos ha tocado el Barça.* • *Osasuna supporter: Holy bad karma! We've been drawn against Barça.*

b PISSY, CRANKY

—*Mi suegra tiene muy **mala leche**.* • *My mother-in-law is pissy as all hell.*

lengua (irse de la) *expr.*
TO BLAB, TO SPILL THE BEANS

—*Una empleada de Facebook **se fue de la lengua** y largó la contraseña para entrar en cualquier cuenta.* • *A employee of Facebook blabbed the password he needed to log into any account.*

lío (hacerse la picha un) *expr.*
TO FEEL DISCOMBOBULATED, TO BE FAZED

—*Con las aplicaciones del iPhone **me hago la picha un lío**.* ∥ *Tranqui, en dos días le pillas el rollo.* • *I feel all discombobulated when I try to figure out the iPhone apps.* ∥ *Don't worry. After two days, it'll feel like child's play.*

listillo/a *n.*

KNOW-IT-ALL, KNOW-ALL

—*Andrés es un* **listillo** *y consigue lo que quiere, pero a veces se pasa un poco.* • *Andrés is a know-it-all and gets whatever he wants, but sometimes he goes too far.*

OTHER WORDS THAT MEAN THE SAME THING ARE SABELOTODO, LISTORRO/A AND, FOR WOMEN, MARISABIDILLA

listo/a (pasarse de) *expr.*

TO BE A SMART ASS [USA], TO BE A SMART ARSE [UK]

—*No* **te pases de listo** *y paga, como todo el mundo.* • *Don't be a smart ass and pay like everyone else.*

lolailo *n.*

A low socio-economic level person, frequently male, who drives around the suburbs with loud flamenco music coming out of his car.

lolas *n. pl.*

BOOBS, BOOBIES, TITS, JUBBLIES, JUGS

—*A mí me gustan las* **lolas** *pequeñas, tipo manzana y que quepan en el hueco de la mano.* // *Pues yo soy más de tetazas.* • *I like small boobies. You know, the size of an apple that fit in the palm of your hand.* // *I'm more of a jugs man myself.*

loquero *n.*

SHRINK

—*Estoy harta de* **loqueros**. *Ninguno me ha solucionado nada.* • *I'm sick of shrinks. They've never solved any of my problems.*

lorenzo *n.*

THE SUN

—*Joder, cómo casca el* **lorenzo**. • *Shit, the sun's out in full force.*

lumi *n.*

HOOKER, MONEY HONEY

—*Con la crisis hasta las* **lumis** *se quejan de que tienen menos clientes.* • *Even hookers are complaining that they have less business due to the recession.*

lupas *n. pl.*

SPECS, GECKS [UK]

—*Ponte las* **lupas**, *que estás cegato.* • *Put on your gecks. You're blind as a bat.*

SACARSE UN MÁSTER DE INGENIERÍA NO ES MOCO DE PAVO • BEING ABLE TO DO A MASTERS IN ENGINEERING DEGREE IS NOT TO BE SNIFFED AT

machacón/ona *adj.*

REPETITIVE

—*La música de ese local es muy* **machacona** *pero me mola.* // *Pues qué mal gusto, hija.* • *The music there is really repetitive, but I like it.* // *Babe, you have dippy taste.*

macho *n.*

1 DUDE, MAN

—*Joder,* **macho**, *déjate de hostias y vente de fiesta.* • *Fuck, man. Quit arguing and come out with us.*

2 MACHO MAN

—*Mi marido es el típico* **macho***: pelo en pecho y sobreprotector.* • *My husband is a macho man: hairy chest and overprotective.*

machote *n.*

TOUGH GUY [USA], MACHO MAN

—*¡Ánimo,* **machote**, *tres kilómetros más y ya lo tienes!* • *Come on, tough guy. Just three more kilometers and you're there!*

mamarracho/a *n.*

SCHMUCK, CHUMP

—*Menudo* **mamarracho** *está hecho el presidente de la comunidad, no va nunca a las reuniones.* // *Ah, pues ya se lo diré esta noche en casa. Es que es mi padre, ¿sabes?* • *The head of the property association is a total schmuck. He never even shows up for the meetings.* // *Good to know. I'll let him know tonight when I get home. He's my dad, you know.*

mandao/a *n.*

GOPHER

—*Manuel es un* **mandao**, *tiene que hacer todo lo que su jefe quiera.* • *Manuel is a gopher. He has to do everything his boss wants him to.*

manga por hombro (tener algo) *expr.*

TO BE IN SHAMBLES, TO BE IN A MESS

—*Su madre le ordenó la habitación porque la* **tenía manga por hombro**. • *His mom told him to clean up his room, because it was a real mess.*

mangui *n.*
KLEPTO, THIEF

—*El hermano pequeño de Toni es un mangui. En el super ya le han pillado tres veces con latas de Coca-cola en los calcetines.* • *Toni's little brother is a klepto. They've already caught him three times in the super-market with cans of Coke in his socks.*

mano (meter) *expr.*
TO FEEL UP, TO TOUCH UP, TO GROPE

—*¡Joooder! // ¿Qué pasa? // El tío este que acaba de pasar ¡me ha metido mano!* • *Fucking hell! // What?! // That guy that walked by just felt me up!*

manola *n.*
WANK [UK], HAND JOB, JERK-OFF SESSION [USA]

—*Vamos a hacernos unas manolas. // ¡Yo llevo el porno!* • *We're going for a jerk-off session. // I'll bring the porn!*

mariposa (a otra cosa) *expr.*
SO MOVING ALONG, MOVING RIGHT ALONG

—*Lo mío con Ana está finiquitado. Ahora, a otra cosa mariposa.* • *It was over between Ana and me. So moving along…*

You can use this expression to let the other person know that you're changing topics, no matter what you decide to talk about.

marrana (joder la) *expr.*
TO FUCK EVERYTHING ALL UP, TO FUCK IT ALL UP, TO SCREW IT UP

—*Con el buen rollo que había hoy, y ha tenido que venir el jefe a joder la marrana.* • *We were all getting along so well today, and then the boss had to come and fuck it all up.*

marrón (comerse el) *expr.*
TO GET STUCK WITH [USA], TO GET LUMBERED WITH [UK]

—*La tía no se aclara con el Excel y luego me como yo el marrón.* • *She can't figure out Excel, and I get stuck with all the problems.*

mata (no) *expr.*
IT'S NOTHING TO WRITE HOME ABOUT, IT'S NOTHING TO SHOUT ABOUT

—*¿Qué tal el nuevo iPhone? // No mata, la verdad.* • *How's the new iPhone? // Honestly, it's nothing to write home about.*

This expression is mainly used in Catalonia.

matado/a _n._

LOSER, SWOT [UK]

—Es un **matao**: se levanta todos los días a las 6 para entrenar y no gana ni una carrera. • He's a loser. He gets up every morning at six to train, but he still can't win a single race.

mazas _n._

MUSCLE MAN, BEEFCAKE, STUD

—Ese gimnasio está lleno de **mazas**. • That gym is full of muscle men.

melón _adj., n._

JUGHEAD, PEABRAIN

—¿No sabes usar un simple reproductor de MP3? ¡Pero mira que eres **melón**! • You don't know how to use a simple MP3 player? Gosh, you're a jughead!

menda _n._

YOURS TRULY, MUGGINS [UK]

—Aquí el **menda** es el que siempre pringa y le toca conducir. • Here, yours truly always does the dirty work and drives the car.

menos (lo) _expr._

(A PIECE OF) CRAP, CRAPPY, SO UNCOOL

—Me he pillado un móvil que es **lo menos**, porque tenía pocos puntos, pero cuando cambie de compañía vais a flipar. • The phone I got is a piece of crap, because I didn't have very many points, but when I switch companies, you'll all see!

IF YOU THINK THAT WHATEVER YOU ARE DESCRIBING IS AS CRAPPY AS CRAPPY CAN BE, YOU CAN SAY LO MENOS DE LO MENOS

mensaka _n._

MESSENGER

—Llama al **mensaka** y dile que recoja el paquete antes de las tres. • Call the messenger and tell him to pick up the package before three.

meo (echar un) _expr._

TO PISS, TO TAKE A LEAK [USA], TO TAKE A SLASH [UK]

—Los lavabos están llenos, voy a **echar un meo** al otro bar. • The toilets are full. I'm gonna go piss in the other bar.

meter _v._

1 TO GET IT ON

—Esta noche tengo ganas de **meter**. ∥ Pues esto esta lleno de tías. • I feel like getting it on tonight. ∥ Well, this place is full of babes.

2 meterle *expr.*

TO SOCK

—*Si no me dejan entrar, le meto al portero de la discoteca.* • *I'm gonna sock the bouncer if they don't let me in the club.*

meterse *v. prnl.*

1 TO TAKE

—*Los findes se mete de todo y los lunes va a trabajar como si nada.* • *He takes everything and anything on the weekend and then goes to work on Monday like it's nothing.*

2 meterse con alguien

TO GIVE SOMEONE A HARD TIME, TO MESS WITH

—*Como te metas con mi prima, me vas a oír, chaval.* • *If you give my cousin a hard time, you'll be answering to me.*

mina (ser una) *expr.*

TO BE A GOLD MINE

—*Esa piba es una mina, conoce a todos los directores de casting de la ciudad.* • *That chick's a gold mine. She knows every casting director in the city.*

minga *n.*

DONG, SCHLONG [USA]

—*Estos pantacas me van tan apretados que me chafan la min-ga.* • *These pants are so tight they're crushing my schlong.*

moco *n.*

1 no ser moco de pavo *expr.*

NOT TO BE SNIFFED AT

—*Sacarse un Máster de Ingeniería no es moco de pavo.* • *Being able to do a Masters in Engineering degree is not to be sniffed at.*

Literally "moco de pavo" means **turkey snot.**

2 soltar/pegar un moco a alguien *expr.*

TO CHEW SOMEONE OUT [USA], TO GIVE SOMEONE A BOLLOCKING [UK]

—*Cuando le dije que le tocaba pagar, me soltó un moco.* • *He gave me a bollocking when I said it was his turn to pay.*

3 tirarse el moco *expr.*

TO GLOAT, TO GO ON ABOUT, TO SHOW OFF, TO BRAG

—*Paco se tira el moco de que cobra un pastón.* • *Paco's always gloating about how me makes so much money.*

mollera *n.*

BRAINS, HEAD

—*No tiene nada en la mollera.* • *His head is empty.*

mona (dormir la) *expr.*

TO SLEEP OFF ONE'S HANGOVER, TO SLEEP IT OFF

—*¿Te vienes a papear algo? // Qué*

*va, me largo a casa a **dormir la mona**.* • *Feel like grabbing a bite to eat? || Nah, I'm gonna go home to sleep off my hangover.*

monstruo *n.*

BEAST, FIEND

*—Xavi e Iniesta son dos **monstruos**. Sin ellos no habríamos ganado el Mundial.* • *Xavi and Iniesta are absolute beasts! We'd never have won the World Cup without them.*

montón (del) *expr.*

ORDINARY, AVERAGE

*—Andrés es un chico **del montón**, pero es tan listo que liga mucho.* • *Andrés is just an ordinary guy, but he's so clever that he gets with tons of girls.*

monumento *n.*

SEX BOMB, HOTTIE

*—En clase de historia hay un par de **monumentos** que quitan la respiración.* • *In my history class, there are a few hotties who'll take your breath away.*

moñas *n.*

SISSY, ONE OF THE GIRLS

*—Le encanta ir de compras con las chicas, es un **moñas**.* • *He loves to go shopping with the girls. He's a sissy.*

morado/a (ponerse) *expr.*

TO STUFF ONE'S FACE, TO LOAD UP, TO PIG OUT

*—No me gusta mucho el marisco, pero anoche **me puse morada**. || Normal, ¡pagaba la empresa!* • *I don't like seafood all that much, but last night, I stuffed my face. || Of course, the company was footing the bill!*

mosca cojonera *expr.*

PEBBLE IN SOMEONE'S SHOE

*—Para conseguir un ascenso en esa empresa solo puedes ponerte rollo **mosca cojonera** con los de personal.* • *To get a raise in this company, you have to be a pebble in the shoe of the people in Personnel.*

mosquita muerta (parecer una) *expr.*

TO LOOK AS IF BUTTER WOULD NOT MELT IN ONE'S MOUTH [UK]

*—**Parece una mosquita muerta** pero cuando sale de fiesta es la reina de la discoteca.* • *She looks as if butter wouldn't melt in her mouth, but when she goes out, she's the queen of the disco.*

nanay *interj.*

NO WAY (JOSE), NOT A CHANCE

—*Le pedí el coche para el fin de semana pero me dijo que **nanay**.* • *I asked to use the car on the week-end, but he said no way Jose.*

You can also say **nanay de la China** and **naranjas de la China** as another way of saying "not a snowball's chance in hell." The Spanish have a curious relationship with China and the Chinese. There are dozens of expressions involving our friends in the Far East, including **sonar a chino** (sounds Greek to me), **trabajar como un chino** (to work oneself to half to death), **un cuento chino** (tall tale), **engañar como un chino** (to swindle), etc. Keep in mind, with the exception of **sonar a chino**, none of these are politically correct!

napia *n.*

SCHNOZ [USA], SNIFFER

—*Tiene la misma **napia** que su madre.* • *He's got the same honker as his mother.*

neuras *n. pl.*

NEUROTIC

—*Es un **neuras**: en cuanto se levanta, lo primero que hace es comprobar que no hayan entrado en casa.* • *He's so neurotic. The first he does when he wakes up is make sure no one broke into his place.*

ni-ni *adj.*

Young people, roughly ages 16 to 24, who do not work or go to school. The word comes from the fact that they neither work (**ni trabajan**) nor study (**ni estudian**).

—*Hay que ayudar a los **ni-ni** a encontrar trabajo.* ‖ *¡Pero si son unos vagos!* • *We've got to help these young bums find work.* ‖ *For those lazy good-for-nothings!?*

niquelado/a *adj.*

PERF, FLAWLESS, IMMACU-LATE, FUCKING ACE

—*Estoy pensando en pintarme la Vespa pero paso de hacerlo yo.* ‖ *Yo si quieres por 100 euros te la dejo **niquelada**.* • *I'm thinking about repainting my Vespa, but there's no way I'm gonna do it myself.* ‖ *If you want, for 100 euros, I'll leave it looking immaculate.*

say: "She came over to my place, and we *click, click*, if you know what I mean."

ñoño/a *adj.*

SAPPY, CHEESY, CORNY

—*Ver películas **ñoñas** es un clásico de los sábados por la tarde. Hoy toca sesión doble: "Sonrisas y lágrimas" y luego "Bajo el sol de la Toscana".* • *Watching sappy movies is a Saturday-afternoon tradition. Today we've got a double session planned: "Sound of Music" and "Under the Tuscan Sun."*

ñaca *interj.*

BAM!, WHAM!

—*Se fueron del bar disimuladamente y ¡**ñaca**!, llamaron al camello.* • *They quietly slipped out of the bar and, bam!, just like that they called the dealer.*

ñaca-ñaca *n.*

RUMPY-PUMPY [UK], HANKY-PANKY [USA]

—*¿Qué están haciendo esos dos ahí dentro? ∥**Ñaca-ñaca**.* • *What are those two doing in there? ∥ A bit of rumpy-pumpy.*

American English speakers will often express the sexual meaning of **ñaca-ñaca** by making a clicking sound with the side of their mouth. For example, you might

ñordo *n.*

TURD, PIECE OF SHIT

—*Ayer por la noche salí a pasear el perro y pisé un par de **ñordos**. ∥¿No jodas? A mí me pasó lo mismo.* • *I took my dog for a walk last night and ended up stepping on a few turds. ∥ Really? The same thing happened to me.*

ojete *n.*
BUTTHOLE, ASSHOLE [USA], ARSEHOLE [UK]

—*Me pica el **ojete** y no sé qué hacer.* // *Prueba a rascarte, capullo.*
• *My butthole itches, and I don't know what to do.* // *Try scratching, dumbass.*

ok makey *expr.*
OKEY DOKEY

—*Quedamos a las 8, ¿vale?* // *Ok, makey.* • *Let's meet at eight, okay?* // *Okey dokey.*

olla *n.*
1 comer la olla *expr.*
TO TALK SOMEONE INTO SOMETHING

—*La peña **me come la olla** con que la deje, pero yo estoy hecho un lío.* • *Everyone's been trying to talk me into leaving her, but I don't know what to do.*

2 comerse la olla *expr.*
TO CHEW OVER, TO BREAK ONE'S HEAD

—*Llevo días **comiéndome la olla** con el final de "Lost" y todavía no pillo qué coño es todo eso de la luz.*
• *I've been chewing over the end of "Lost" for days now, and I still can't figure out what the hell that light is supposed to be.*

The related noun is **comida de olla**.

oreja *n.*
1 comer la oreja *expr.*
TO TALK SOMEONE'S EAR OFF, TO CHEW SOMEONE'S EAR

—*No me **comas la oreja**. Ya te he dicho que no pienso acompañarte.* • *Don't talk my ear off. I already said I'm not going with you.*

2 planchar la oreja *expr.*
TO GET SOME SHUT-EYE, TO CATCH SOME Z'S

—*Me voy a **planchar la oreja**, estoy agotada.* • *I'm going to get some shut-eye. I'm beat.*

oso *n.*
BEAR
A hairy, often heavy-set gay man.

—*"Cachorro" es una peli sobre los **osos** de Madrid.* • *"Cachorro" (Bear Cub) is a film about bears in Madrid.*

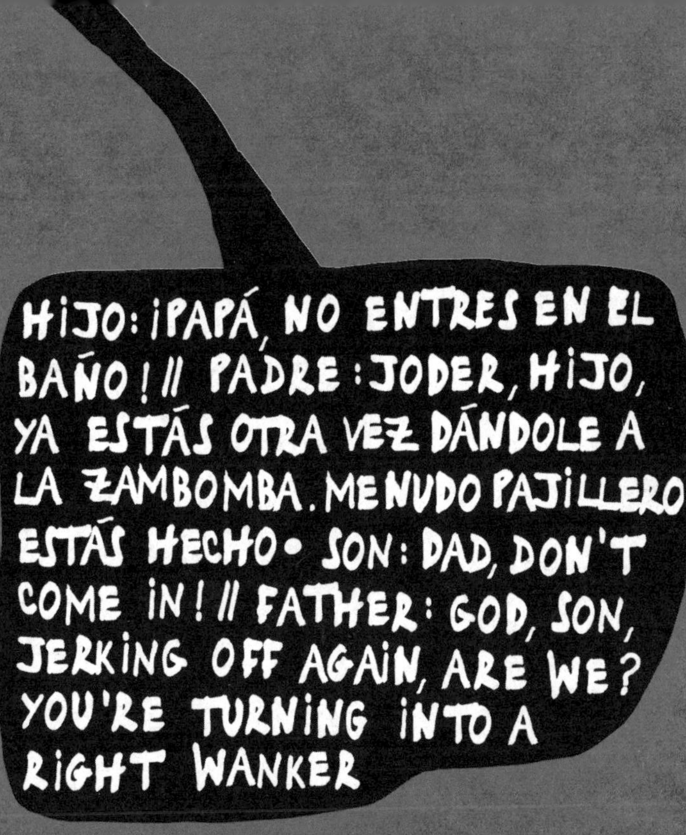
HIJO: ¡PAPÁ, NO ENTRES EN EL
BAÑO! // PADRE: JODER, HIJO,
YA ESTÁS OTRA VEZ DÁNDOLE A
LA ZAMBOMBA. MENUDO PAJILLERO
ESTÁS HECHO • SON: DAD, DON'T
COME IN! // FATHER: GOD, SON,
JERKING OFF AGAIN, ARE WE?
YOU'RE TURNING INTO A
RIGHT WANKER

pachanga *n.*

A game, usually football, played between friends often as an excuse to meet up for some together time and, of course, food and drink.

—*Hace siglos que no nos vemos. // Va, pues quedamos el domingo y jugamos una pachanga.* • *It's been ages since we've seen each other. // So, let's meet up this Sunday for a friendly game of football.*

pachucho/a *adj.*

UNDER THE WEATHER, LAID UP

—*Llama a Coraluna, que está pachucha.* • *Give Coraluna a call. She's feeling under the weather.*

pagafantas *n., adj.*

CHUMP, NICE GUY, SHOULDER TO CRY ON

—*Ese pagafantas está enamorado de Blanca, pero ella no le hará caso en la vida.* • *That chump is in love with Blanca, but she'll never give him the time of day.*

While there's no real English equivalent for a **pagafantas**, we all know him. He's the typical guy who is totally in love with a girl, goes with her everywhere, listens to her horror stories about men, gives her a shoulder to cry on and has a snowball's chance in hell of getting off with her. The only thing he ever does is **pagarle las Fantas** (pay for her Fantas).

pájara *n.*

In cycling, a sudden slump in energy that stops the cyclist from keeping up with the race. This term is also used more generally to refer to a sudden drop in energy of any sort.

—*Le cogió una pájara cuando subía el Tourmalet.* • *He suffered a sudden slump in energy when climbing up the Tourmalet.*

pájaro *n.*

SNAKE IN THE GRASS

—*Yo con ese pájaro, los menos tratos posibles.* • *I keep as far away as I can from that snake in the grass.*

pajillero/a *n., adj.*

WANKER, TOSSER

—Hijo: ¡Papá, no entres en el baño! || Padre: Joder, hijo, ya estás otra vez dándole a la zambomba. Menudo **pajillero** estás hecho. • Son: Dad, don't come in! || Father: God, son, jerking off again, are we? You're turning into a right wanker.

pala (a punta) *expr.*

LOADS, TONS, A SHEDLOAD [UK]

—En el capítulo de ayer de "Glee" había duetos **a punta pala**. • There were loads of duets in yesterday's episode of "Glee".

palabro *n.*

A pretentious, often technical term.

—Como suelte muchos **palabros** de jerga científica, no entenderé ni papa. • If he uses a bunch of high-falutin' scientific jargon, I won't understand jack shit.

paleto *n., adj.*

REDNECK, HICK, PEASANT

—Pepe es muy **paleto**, parece que no haya salido nunca de su casa. • Pepe is a real redneck. He acts like he's never been away from home.

pa'llá (estar) *expr.*

TO BE NUTS, TO BE MENTAL, TO BE BONKERS

—¿Quedamos a las seis de la mañana para ir a correr? || Tú **estás pa'llá**. • Should we meet at 6:00 a.m. to go running? || You're nuts.

palique (tener) *expr.*

TO BE A CHATTERBOX

—Si te aburres, llama a Blanca, que **tiene** mucho **palique**. • If you get bored, call Blanca. She's a real chatterbox.

palo *n.*

1 a palo seco *expr.*

STRAIGHT, ON ITS OWN, WITH NOTHING ELSE, JUST LIKE THAT

—Se metió un vaso de whisky **a palo seco**. • He downed a glass of straight whiskey.

2 dar el palo *expr.*

TO MUG, TO ROB, TO RIP OFF

—Fui a sacar pasta al banco y al salir **me dieron el palo**. • I went to withdraw some money from the bank, and when I came out, I got mugged.

3 ir del palo *expr.*

TO BE ABOUT, TO BE ON ONE'S AGENDA, TO BE UP TO

—Desde la primera vez que lo oí hablar ya me cayó mal. Se nota a la legua **de qué palo va**. • I didn't like him from the second I first heard him talk. You see what he's about from miles away.

palomino *n.*

SKID MARK

—*No soportaría vivir con un tío que dejara **palominos** en los gayumbos.* • *I could never live with a guy who leaves skid marks on his scants.*

pana (partir la) *expr.*

TO CALL THE SHOTS,
TO BE THE REAL DEAL,
TO BE A SMASH

—*En España quien **parte la pana** en smartphones es Apple.* • *Apple calls the shots when it comes to smartphones in Spain.*

panoli *n.*

CHUMP, LOSER

—*No es más **panoli** porque no se entrena.* • *The only reason he's not more of a chump is 'cause he doesn't practice.*

pantacas *n. pl.*

PANTS [USA], TROUSERS [UK]

—*¡Qué pantacas más guapos que te has **pillado**!* • *Those are some pretty nice pants you picked up there.*

pantallazo *n.*

SCREENSHOT

—*Para hacer un **pantallazo** tienes que darle a "Imp Pant". // ¡Que yo tengo Mac!* • *To take a screenshot, you have to press "Prt Scrn". // But I have a Mac!*

pantalones (bajarse los) *expr.*

TO CAVE IN, TO GIVE IN

—*Lo reconozco, no tengo ningún problema en **bajarme los pantalones** si eso me puede beneficiar.* • *I admit I have no problem caving in if there's something in it for me.*

papelón *n.*

TOUGH ONE, NASTY ONE

—*Al final tuvo que invitar a la amante a la boda. // ¡Vaya **papelón**!* • *In the end, he had to invite his lover to the wedding. // That's a tough one.*

paripé *n.*

ACT, SHOW

—*Lo de Tom Cruise y Katie Holmes es un **paripé**. Hace siglos que no se soportan.* • *Tom Cruise and Katie Holmes are just putting on an act. They haven't been able to stand each other for ages.*

parra (de la) *expr.*

EPIC, AWESOME, AMAZING, KICK-ASS

—*Me he comprado un Rolex **de la parra**. // ¡Qué bien vives, cabrón!* • *I bought an epic Rolex. // I see you're living it up, you bastard!*

pasarse *v. prnl.*
TO GO TOO FAR, TO OVER-
STEP ONE'S BOUNDS,
TO OVERDO

—*¿Has visto las fotos de Kate
Moss? **Se han pasado** un huevo
con el Photoshop. Parece que ten-
ga 20 años.* • *Did you see those
pictures of Kate Moss? They way
overdid the Photoshop. She looks
like she's 20.*

pastel *n.*
1 descubrir el pastel *expr.*
TO LET THE CAT OUT
OF THE BAG

—*El hijo de tu hermana habló de-
masiado y se **descubrió el pastel**.*
• *Your nephew talked too much
and let the cat out of the bag.*

2 pasteloso/a *adj.*
CORNY, SAPPY, CHEESY

—*San Valentín es una tradición de
lo más **pastelosa**.* • *Valentine's
Day is a super corny tradition.*

**YOU CAN ALSO SAY
CURSI OR CALL
SOMETHING PASTEL
OR UN PASTEL**

pastillero/a *n.*
PILL POPPER, DRUGGIE

—*Ese festival de música electrónica
está lleno de **pastilleros**.* • *That
electronic music festival is full of pill
poppers.*

pastón (un) *n.*
A MINT, BIG MONEY,
BIG BUCKS [USA]

—*Aunque valen **un pastón**, me
voy a pillar unas Nike Air Max.
Even if they cost a mint, I'm still going
to buy me a pair of Nike Air Max.*

**YOU CAN ALSO SAY UNA
PASTA OR UN PASTIZAL**

patadas (a) *expr.*
WHEREVER YOU LOOK,
EVERYWHERE, LEFT AND
RIGHT

—*En los playgrounds americanos
hay jugones **a patadas**.* • *In Ame-
rican playgrounds, there are badass
ballers wherever you look.*

patinar *v.*
TO BLOW IT, TO BALLS UP,
TO FUCK UP

—*Ayer casi **patino** y le cuento lo
de la fiesta sorpresa a Ana.* •
*Yesterday, I almost blew it and told
Ana about the surprise party.*

pato (pagar el) *expr.*
TO CARRY THE CAN [UK],
TO TAKE THE RAP

—*La gamberra es la hermana
mayor, pero el pequeño siempre
acaba **pagando el pato**.* • *The
older sister is the troublemaker, but
her younger brother is the one who
always ends up carrying the can.*

pecholobo *n.*

A word used to describe someone who is showing his hairy chest.

—*¡Pecholobo!, ¿dónde vas con la camisa abierta? ¡Solo te falta la cadena de oro!* • *Hey, chest hairs! Where you going with your shirt open? All you need now is a gold necklace!*

pegársela *v. prnl.*

1 TO CHEAT ON, TO TWO-TIME

—*Paco se la pegó a Ainhoa con una compañera del banco.* • *Paco cheated on Ainhoa with a co-worker from the bank.*

2 TO GET WHAT'S COMING TO ONE

—*Ese pavo va demasiado a saco. Se la va a pegar, ya verás.* • *That guy is too direct. He's going to get what's coming to him. You'll see.*

3 pegarse *v.*

TO HAVE OR TO GET SOMETHING STUCK IN ONE'S HEAD

—*Joder, se me ha pegado la cancioncita esa del "Waka Waka".*

• *Shit, I have that "Waka Waka" stuck in my head.*

In Spanish, this verb is a little wider than its English equivalent, and a lot of things can "stick" to you: a song, the way someone talks or if you're lucky, a co-worker's intelligence.

pego (dar el) *expr.*

TO LOOK THE PART

—*Te ha quedado guapa la web esta que has hecho.* ∥ *¿A que da el pego?* • *The website you made looks really sweet.* ∥ *Yeah, it really looks the part, doesn't it?*

pegote *n.*

1 THIRD WHEEL, TAG-ALONG

—*Cuando voy con ellos me siento un poco pegote porque no me hacen caso.* • *When I go with them, I feel like a third wheel, because they don't pay any attention to me.*

2 EYESORE

—*Vaya pegote de estatua que han puesto en la plaza. Queda como el culo.* • *Talking about an eyesore. How 'bout that new statue in the plaza? It looks like crap.*

3 tirarse el pegote *expr.*

TO SHOW OFF

—*El Cayenne es perfecto para tirarse el pegote en Marbella.* • *A Porsche Cayenne is the perfect way to show off in Marbella.*

pelar *v.*

TO CLEAN SOMEONE OUT

—Hoy he ido un rato al bingo y me **han pelado**. • I went to the bingo for awhile, and I got cleaned out.

pelado/a *n.*

1 SKINT [UK], BROKE

—Este mes no contéis conmigo para nada, estoy **pelado**. • Don't count me in for anything this month. I'm skint.

2 SKINHEAD

—Ayer unos **pelados** atacaron a un grupo de sin techo. • A few skinheads attacked a group of homeless people yesterday.

pelín (un) *adv.*

KIND OF, KINDA

—Paco me gusta **un pelín**. • I kinda like Paco.

peluco *n.*

WATCH

—Mi cuñado apareció en un Mercedes y con un **peluco** que te cagas. • My brother-in-law showed up in a Mercedes, wearing a bling-bling watch.

pena (de puta) *expr.*

(FUCKING) AWFUL

—Ahora ya podemos decírtelo: tu ex nos caía **de puta pena**. • Now we can finally say it: We thought your ex was fucking awful.

percha *n.*

This word literally means **hanger**, but in slang it is the person wearing an article of clothing.

—Ese traje te queda muy bien. // No es el traje, es la **percha**. • That suit looks really good on you. // It's not the suit, it's the guy.

perdi *n.*

MISSED CALL

While the technical term for a **llamada perdida** or a **perdi** is a missed call, Americans don't have a convenient way to say **hazme una perdi**. Instead, they'll describe it in a sentence: "Call me and let it ring once when you're ready. I won't pick up." When Brits want to say the same thing, they just say "Give me a missed call".

—Hazme una **perdi** cuando estés lista y bajo. • Give me a missed call me when you're ready, and I'll come down.

perroflauta *n.*

A common sight in some Spanish big cities, this type of person typically wears tatty punk-inspired clothing, often sports numerous piercings and can be found playing (usually badly!) a small flute

or recorder to solicit donations.
They are frequently accompa-
nied by dogs as well.

—*Estoy del **perroflauta** de la
esquina y de su flautita hasta los
cojones.* • *I've fucking had it with
the flute-play punk down there on
the corner.*

pestes (echar) *expr.*
TO TRASH-TALK, TO SLAG
OFF [UK], TO TEAR STRIPS OFF
SOMEBODY

—*Edith estuvo toda la fiesta
echando pestes de Manolo,
¡y eso que lo teníamos delante!* •
*Edith spent the whole party trash-
talking Manolo, and he was right
in front of us!*

petar *v.*
1 TO GIVE OUT, TO BE OR TO
GO KAPUT, TO BE OR TO GO
ON THE FRITZ

—*Se me ha **petado** el iPad.* •
My iPad gave out on me.

2 TO SOUND

—*Los bafles de tu compi de piso
petan de puta madre.* • *Your
flatmate's speakers sound friggin'
awesome.*

3 petarlo *expr.*
TO ROCK, TO OUTDO ONESELF

—*Con el nuevo disco, El Guincho
lo ha petado.* • *El Guincho really
outdid himself in his new album.*

picadero *n.*
BACHELOR PAD, LOVE NEST,
KNOCKING SHOP [UK]

—*Mari acaba de enterarse de que
su marido tiene un **picadero** en
el centro. Llámala, que está fatal.*
• *Mari just found out that her
husband has a love nest in the city
center. You should call her. She's
all torn up.*

picarse *v. prnl.*
TO BE PEEVED, TO GET
PEEVED, TO BE IN A HUFF,
TO GET HACKED OFF

—*Ana **se ha picado** con Juan
porque fue a recogerla tarde.* •
*Ana is peeved with Juan, because
he was late picking her up.*

picha brava *n.*
MAN WHORE, PLAYER,
HORNDOG

—*Se ve que el marido de la Juani
se repasaba a la secretaria.* // *Ya,
no me extraña, es que ese tío es
un **picha brava**. Ya se le ve.* •
*Apparently Juani's husband was
checking out the secretary.* // *I'm not
surprised. That guy is a horndog.
You can just tell.*

**YOU CAN ALSO SAY
PICHA LOCA**

pijada *n.*

1 HOGWASH, BALONEY, BALDERDASH

—*No te rayes tanto por eso, es una* **pijada**. • *Don't get all worked up over it. It's just hogwash.*

2 NONESSENTIAL, (UNNECESSARY) EXTRAVAGANCE

The implication is that whatever it is unnecessarily posh.

—*Tener una Nespresso en casa es una* **pijada**. • *Having your own Nespresso is an unnecessary extravagance.*

pilingui *n., adj.*

TRAMPY, SLUTTY

—*¿Te acuerdas de la Vane, la del cole? || ¿La que decían que era un poco* **pilingui**? || *Sí, esa. Pues, se ha hecho monja, tía.* • *Do you remember Vane from school? || The one everyone said was a little trampy? || Yeah, her. She's a nun now, can you believe it?*

pillado/a *n., adj.*

1 estar pillado/a *expr.*

TO BE MENTAL, TO BE NUTS, TO BE BONKERS

—*Creo que le voy a pedir una cita a la mujer del jefe. || ¿Tú* **estás pillado** *o qué?* • *I think I'm going to ask the boss's wife out on a date. || What, have you gone bonkers?*

2 estar pillado/a por alguien *expr.*

TO BE CRAZY FOR SOMEONE

—**Estoy** *muy* **pillado** *por esa tía. Como pase de mí, me muero.* • *I'm crazy for that woman. If she ignores me, I think I'll die.*

3 ir pillado/a *expr.*

TO BE SWAMPED WITH, TO BE SNOWED UNDER

—*Cari, tengo que colgar que* **voy** *muy* **pillado** *con el curro.* • *Babe, I've gotta hang up now. I'm really swamped with work.*

pintar *v.*

1 no pintar nada *expr.*

TO BE OR TO FEEL OUT OF PLACE, TO FEEL LIKE A FISH OUT OF WATER

—*Paso de ir a esa cena,* **no pinto nada** *entre tanto soltero.* • *I'm not going to that dinner. I'll be out of place among so many single people.*

2 pintar bien/mal *expr.*

TO LOOK GOOD, TO LOOK BAD

—*El Atlético este año* **pinta bien**. • *Atlético are looking good this year.*

You can also say that something **tiene buena pinta** or **tiene mala pinta** if you expect that it will turn out to be good or bad.

pinza (írsele la) *expr.*

TO GO BONKERS, TO GO
NUTS, TO LOSE IT

—¿¿Se ha bañado vestido en el
mar?! // Ya sabes que cuando bebe
se le va la pinza. • She went
swimming in the sea with her
clothes on?! // You know she goes a
little bonkers when she drinks.

piños *n. pl.*

CHOPPERS, PEGS, IVORIES

—Tiene los **piños** torcidos y llenos
de sarro. • Her choppers are crook-
ed and covered in plaque.

piñón *n.*

1 a piñón *expr.*

TO GET STUCK INTO DOING
SOMETHING, LIKE CRAZY

—Llegamos al bar y nos pusimos
a beber **a piñón**. • We got to the
bar and got stuck into some serious
drinking.

2 ser de piñón fijo *expr.*

TO BE SET IN ONE'S WAYS,
TO BE STUCK IN ONE'S WAYS

—Es un tío de **piñón fijo**. No
conseguirás que te haga caso. •
He's utterly set in his ways. You
won't get him to listen to you.

pique *n.*

FEUD, GRUDGE, BEEF

—Vaya **pique** que tiene el De la
Morena con los de la COPE. •

De la Morena's beef with the COPE
runs real deep.

piro (darse el) *expr.*

TO JET, TO SCOOT, TO BEAT
IT, TO SHOOT OFF, TO BE OUT
OF HERE

—Yo **me doy el piro**, chaval, esta
fiesta es lo peor. • I'm gonna jet,
man. This party sucks.

piti *n.*

CIG, SMOKE, FAG [UK]

—Me he quedado sin **pitis**. //
Pues vete al bar y compra en la
máquina.• I'm all out of smokes.
// So, go to the bar and buy some
from the machine.

planazo *n.*

GREAT PLAN, KILLER PLAN

—Lo de pasar el finde fuera de la
ciudad es un **planazo**. • I think
spending a weekend away from the
city is a great plan.

polla (ser la) *expr.*

1 TO BE A (REAL) PIECE
OF WORK, TO BE REALLY
SOMETHING

—Eres **la polla**, ¿sabes? Siempre
que quedamos, me haces esperar
más de media hora. • You're really
something, you know that? Every
time we're supposed to meet, you
make me wait more than a half an
hour.

2 TO BE THE SHIT,
TO KICK ASS, TO ROCK

—*La última peli de Tim Burton*
es la polla. • *Tim Burton's latest
movie kicks ass.*

You can also say that something
is **la polla en vinagre**.

poner *v.*

TO TURN ON

—*Ese tío me* **pone** *y punto, no pue-
do evitarlo.* • *That guy turns me
on, and that's that. I can't help it.*

porfa, porfi *adv., abbrev.*

PLEASE

Porfa and **porfi** are usually used
by children and cutesy, cheesy
types or when you're asking for
something and you want to im-
bue your request with just a hint
of desperation.

—*Cari,* **porfa***, déjame ver el parti-
do.* // *Ni porfa, ni porfi. Hoy vemos
"Mujeres desesperadas", como cada
miércoles.* • *Baby, please please let
me watch the game.* // *None of that
"please please" business. Tonight
we're watching "Desperate House-
wives" just like every Wednesday.*

postear *v.*

TO POST

—*Tengo un blog en el que puedes*
postear *sin registrarte.* // *Guay,
pues ya te pondré algún comenta-
rio.* • *I have a blog that you can*

post on without registering first //
*Cool, I'll write you a comment
sometime.*

puesto/a (estar) *expr.*

TO BE (WELL) UP ON, TO BE IN
THE KNOW, TO BE CLUED IN

—*Abelino* **está** *muy* **puesto** *en
música electrónica.* // *¡Qué dices!
Si es un paleto.* • *Abelino's really
up on electronic music.* // *Um, no...
he's a hick.*

puñalada trapera *expr.*

STAB IN THE BACK

—*Lo de quedarse él con la casa
fue una* **puñalada trapera**. •
*Taking the house was a real stab in
the back.*

putas (pasarlas) *expr.*

TO GO THROUGH HELL,
TO HAVE A SHITTY TIME

—*Si quieres* **pasarlas putas***,
apúntate a un curso de paracai-
dismo.* • *If you want to go through
hell, sign up for a skydiving course.*

You can also say **pasarlas mora-
das** and **pasarlas canutas**.

puticlub *n.*

BROTHEL, WHOREHOUSE

—*Esta carretera está llena de*
puticlubs *de mala muerte.* • *This
highway is full of seedy brothels.*

queli *n.*

DIGS, HOUSE, HOME, PAD, MINE, OURS

—*Yo me voy a mi **queli**, colega.* • *I'm going back to my digs, man.*

queso (estar como un) *expr.*

TO BE SCRUMPTIOUS, TO BE SEXY, TO BE HOT

—*Esa morena **está como un queso**.* • *That brunette is just scrumptious.*

quince (del) *expr.*

IMPRESSIVE, HUGE, SUPERB, A HELL OF A

—*Los del Primavera Sound se han currado un cartelazo **del quince**.* • *The people organizing Primavera Sound have pulled together an impressive selection of bands.*

If you'd like to be a little more vulgar, you can say **de la hostia**.

quini *n., abbrev.*

500-EURO NOTE, 500-EURO BILL

—*Muchos billetes de **quini** son falsos.* • *Many 500-euro notes are counterfeit.*

quinqui *n.*

PUNK, LOWLIFE

—*En las chabolas del extrarradio viven muchos **quinquis**.* • *There are lots of lowlifes living in the slums just outside town.*

quiqui *n.*

SHAG [UK], SCREW

—*Echamos un **quiqui** en el coche.* • *We had a shag in the car.*

quisqui (todo) *expr.*

EVERYONE AND THEIR DOG, EVERYONE AND THEIR (KID) BROTHER

—*En la reunión de exalumnos estaba **todo quisqui**.* • *Everyone and their dog was at the alumni meeting.*

¡quita, quita! *expr.*

EWWWW!, GET OFF!

—*Creo que le molas a Andrés.* // *¡**Quita, quita**! No lo aguanto.* • *I think Andrés likes you.* // *Ewwww! I can't stand him.*

racanear *v.*

1 TO BE STINGY, TO BE TIGHT

—*No soporto que siempre **racanees** con la propina.* • *I can't stand it that you're always stingy with tips.*

2 rácano/a *n.*

TIGHTWAD, CHEAPSKATE, SCROOGE, TIGHT SOD, MEAN COW

—*Es un **rácano**, no se gasta ni un duro en los colegas.* • *He's a tightwad. He never spends a cent on his mates.*

raja *n. (vul.)*

CUNT, TWAT, SLIT

—*Una concursante de Gran Hermano dijo: "Pa' chulita chulita mi **rajita**".* • *One of the contestants on Big Brother said, "You want cool? Have my cunt!"*

ramalazo (tener) *expr.*

TO BE FLAMING [USA],
TO BE CAMP [UK]

—*La pareja gay del quinto **tiene** mucho **ramalazo**.* • *The gay couple on the fifth floor are really flaming.*

YOU CAN ALSO SAY
TENER PLUMA

rana (salir) *expr.*

TO LET DOWN, TO BE A DISAPPOINTMENT

—*¿Y si contrato a tu amigo y me **sale rana**? Es un compromiso.* • *What if I hire your friend and he lets me down? That puts me in a difficult spot.*

rancio/a *adj.*

VANILLA, BORING, DULL

—*Tu prima es un poco **rancia**, ¿no? Nunca quiere hacer nada.* • *Don't you think your cousin is kinda vanilla? She never wants to do anything.*

rata *n.*

CHEAPSKATE, SKINFLINT, TIGHT SOD, MEAN COW

—*¿Ni el día de tu cumpleaños me vas a invitar a una birra? Eres un **rata**.* • *You're not even going to buy me a beer on your birthday? You're a cheapskate.*

reenganche (de) *expr.*
STRAIGHT
Doing something **de reenganche** means doing something right after something else without resting or stopping home in between, for instance going straight to work after a night on the town.

—*Mañana iremos de reenganche al curro.* • *Tomorrow we'll go straight to work.*

regalarse *v. prnl.*
TO GO OVERBOARD

—*Cómo te regalas con el café.* // *Ya, luego me cuesta un huevo dormirme.* • *You go overboard with your coffee.* // *I know. Then I have a really hard time sleeping.*

rehostia (ser la) *n.*
TO BE TOO MUCH, TO BE THE LIMIT

—*Paco es la rehostia,* no tiene un duro y se ha pillado el coche más caro.* • *Paco is just too much. He doesn't have a penny to his name, and he still got the most expensive car.*

Adding the prefix **re-** to a word makes its meaning all the more intense. Some less vulgar synonyms of **rehostia** incluye **releche**, **repanocha** and **repera**. Also, note that in typical Spanish fashion, **panocha**, **leche** and **pera** are all foods!

repaso *n.*
THRASHING, BEATING

—*¡Vaya repaso le pegó el Sevilla al Depor!* • *Man, did Sevilla give Deportivo a thrashing!*

resbalarle algo a alguien *expr.*
TO NOT GIVE A DAMN, TO NOT GIVE A MONKEY'S [uk]

—*A este tío le resbala todo. Va totalmente a su bola.* • *This guy doesn't give a damn about anything. He does whatever he wants.*

In the case of someone who does not give a monkey's, you can also say **pasa de todo**, **se la trae floja** or **se la trae al pairo**.

restregar *expr.*
TO RUB IN SOMEONE'S FACE

—*Manuel estuvo todo el día restregándome por la cara que él había aprobado y yo no.* // *Es un cabrón, a mí también me lo hizo una vez.* • *Manuel spent the whole day rubbing it in my face that he passed and I didn't.* // *He's a bastard. He did it to me once before too.*

YOU CAN RESTREGAR SOMETHING POR LA CARA OR POR LAS NARICES

resultón/ona *adj.*
ATTRACTIVE

—*No es la típica guapa, pero es bastante **resultona**.* • *She's not a conventional beauty, but she's still quite attractive.*

reventar *v.*
1 TO PISS SOMEONE OFF, TO TICK SOMEONE OFF

—*No sabes cómo **me revienta** que dejes pelos en la ducha. ¡Eres un guarro!* • *You don't know how much it ticks me off that you don't clean up your hairs in the shower. You're gross!*

2 a reventar *expr.*
MOBBED, JAM PACKED

—*La inauguración fue un éxito total. Estaba lleno **a reventar**.* • *The opening was a resounding success. The place was packed.*

Rodríguez (estar de) *expr.*
TO BACH IT, TO BE LEFT HOME ALONE

—*Cuando **está de Rodríguez** sale todos los días con los colegas.* • *Whenever he's baching it, he goes out with his buddies every day.*

This expression dates back to the Spanish dictatorship, when the Spanish middle class started summering by the sea. When the wife and kids were away on holiday, the husband left back home was said to be **de Rodríguez**.

rosca *n.*
1 hacer la rosca *expr.*
TO SUCK UP TO, TO SWEET-TALK, TO BUTTER UP

—*No me **hagas la rosca**, tío, no pienso ayudarte con esa piba.* • *Don't be sweet-talking me. There's no way I'm gonna help you with that girl.*

2 pasarse de rosca *expr.*
TO GO TOO FAR, TO OVER-STEP ONE'S BOUNDS

—*Tiene bromas muy graciosas, pero a veces **se pasa de rosca**.* • *His jokes are really funny, but sometimes he goes too far.*

rositas (irse/salir de) *expr.*
TO GET AWAY WITH IT, TO GET OFF EASY

—*El tío la traicionó y pensó que **se iría de rositas**. Qué equivocado estaba.* • *He cheated on her and thought he'd get away with it. Boy, was he wrong.*

rula *n.*
PILL

—*Hoy paso de **rulas**.* • *No pills for me today.*

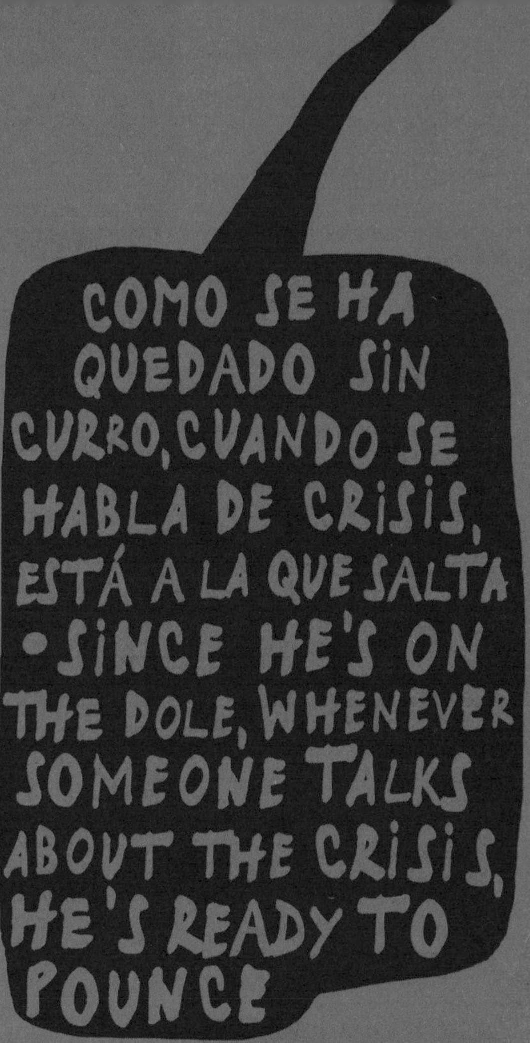
COMO SE HA QUEDADO SIN CURRO, CUANDO SE HABLA DE CRISIS, ESTÁ A LA QUE SALTA • SINCE HE'S ON THE DOLE, WHENEVER SOMEONE TALKS ABOUT THE CRISIS, HE'S READY TO POUNCE

sacar *v.*

TO SCORE, TO GET

Sacar is a slangy way of saying **obtener** (obtain) or **conseguir** (acquire).

—*Le **saqué** cuatro copas gratis al camarero.* • *I scored four free drinks from the waiter.*

salta (estar a la que) *expr.*

TO BE READY TO POUNCE, TO BE ON EDGE

—*Como se ha quedado en el paro, cuando se habla de crisis, **está a la que salta**.* • *Since he's on the dole, whenever someone talks about the crisis, he's ready to pounce.*

sargento *adj.*

BATTLE-AX, DOMINEERING.

—*Mi madre era muy **sargento** con mi padre.* • *My mother was real battle-ax with my father.*

segundas (con) *expr.*

WITH AN ULTERIOR MOTIVE

—*Lo de llamarnos "novios" lo dijo **con segundas**.* • *When he called us "boyfriend and girlfriend," it was with an ulterior motive.*

sentimentaloide *adj., n.*

SOPPY, MUSHY

—*Esa peli es muy pastelosa. Es para **sentimentaloides** como tú.* • *This film is really mushy. It's perfect for someone soppy like you.*

sinhueso (darle a la) *n.*

TO YAK, TO YAP

—*Estuvo toda la fiesta **dándole a la sinhueso**. ¡Qué pesadilla!* • *He didn't stop yakking for the whole party. What a nightmare!*

sopa (hasta en la) *expr.*

EVERYWHERE, LEFT AND RIGHT

—*Mira que al principio me caía bien, pero ¿soy la única que se está empezando a hartar de ver a Sara Carbonero **hasta en la sopa**?* • *At first, I kinda liked her, but am I the only one who's getting sick of tired of seeing Sara Carbonero's face everywhere I look?*

taguear *v.*
TO TAG

—Le digo que no me **taguee** cuando voy chuzo, pero el tío, ni caso. • I tell him not to tag me when I'm drunk, but does he pay any attention? No!

taladrar *v.*
1 TO NAG, TO BUG

—Me **taladra** siempre con que vayamos de vacaciones a Italia. • She keeps nagging me about taking a holiday to Italy.

2 taladro *n.*
NAG, BOTHER, PAIN

—Es un **taladro**, más de media hora con él y acabas desquiciado. • He's such a nag. A half an hour with him is enough to drive you up the wall.

tantas (a las) *expr.*
MEGA LATE, IN THE (WEE) SMALL HOURS

—Queríamos ir al cine y punto, pero nos liamos y acabamos llegando a casa **a las tantas**. • All we wanted to do was go to the movies, but we ended up getting home mega late.

You can also say **a las mil**.

tapear *v.*
1 TO GO FROM BAR TO BAR TO EAT TAPAS

—¿Al final qué hicisteis ayer? || Nos fuimos a **tapear** por los bares del centro. • So, what did you end up doing yesterday? || We went round the bars in the center to have some tapas.

YOU CAN ALSO SAY
IR DE TAPEO OR IR DE TAPAS

2 tapeo *n.*
GOING FOR TAPAS

—El **tapeo** gusta mucho a los guiris. • Tourists really like going for tapas.

tapón *n.*
SHORTIE, MIDGET

—Paco es un **tapón**, pero es más chulo que un ocho. • Paco's a shortie, but he's got an attitude like no one's business.

tarro *n.*

NOODLE

—*¡Ah! Me duele mucho el **tarro**.* // *Pues tómate una aspirina.* • *Arrgh! My noodle is killing me.* // *Take an aspirin then.*

tarugo *n.*

THICK [UK], DUMB

—*Mi primo es muy **tarugo**. No aprobó ni la primaria.* • *My cousin is right thick. He didn't even pass primary school.*

tejos (tirar los) *expr.*

TO HIT ON, TO MACK ON [USA], TO MAKE A PASS AT

—*Lleva tres meses **tirándole los tejos** y la tía, ni caso.* • *He's been hitting on her for three months, and she acts like he's not even there.*

tebeo (más visto que el) *expr.*

LAME, OLD HAT

—*Que te diga "tú me gustas pero no es el momento" está **más visto que el tebeo**.* • *Saying "I like you but the timing isn't right" is just so lame.*

telele (dar un) *expr.*

TO PASS OUT, TO ZONK OUT, TO BE LAID UP, TO BLACK OUT

—*Tomó tantas drogas que al final le **dio un telele**.* • *He took so many drugs that he finally just zonked out.*

tema (haber) *expr.*

This expression is usually used to indicate that two people are intimate, dating, getting it on, etc. In other words, they're more than just friends.

—*Oye, ¿hay **tema** o no hay tema entre Borja y Patricia?* // *¡Yo creo que sí, ayer los vi juntos!* • *Hey, is there or is there not something going on between Borja and Particia?* // *I think so! I saw them together yesterday.*

temazo *n.*

HIT, (AWESOME) SONG, MASTERPIECE

—*Escucha este **temazo** de Kanye West. Vas a flipar.* • *Listen to this awesome song by Kanye West. You're gonna love it.*

tieso/a

1 estar tieso/a *expr.*

TO BE SKINT [UK], TO BE BROKE

—*Tengo que empezar a ahorrar, que estoy **tieso**.* • *I have to start saving. I'm skint.*

2 ponérsele tiesa *expr.*

TO HAVE OR TO GET A HARD-ON, TO HAVE OR TO GET A BONER

—*Cuando eres adolescente **se te pone tiesa** a la mínima.* • *When you're a teenager, it doesn't take much to get a boner.*

3 quedarse tieso/a *expr.*
TO CHECK OUT, TO BUY IT

—*El yonqui se **quedó tieso** al llegar al hospital. Ya era tarde.*
• *The junkie checked out when he made it to the hospital. It was too late.*

tintorro *n.*
CHEAP RED WINE, PLONK

—*A mi padre llévale un buen vino, que es muy sibarita. No se te ocurra presentarte con un **tintorro**.* • *Bring my father a good wine; he's quite the connoisseur. Don't even think of showing up with a cheap red wine.*

tipazo *n.*
(NICE/HOT/GOOD) BODY, (NICE/HOT/GOOD) FIGURE [WOMAN], (NICE/HOT/GOOD) BUILD [MAN]

—*Desde que va al gimnasio tiene un **tipazo** que flipas.* • *She's got a nice figure ever since she started going to the gym.*

tira de (la) *adv.*
TONS, OODLES, A HUMUNGOUS AMOUNT, A SHEDLOAD [UK]

—*Iker Fernández tiene **la tira de** colegas.* // *Ya, es que es un tío muy abierto.* • *Iker Fernández's got tons of friends.* // *Yeah, he's a really open guy.*

tirillas *n.*
TOOTHPICK, LANKY STREAK OF PISS [UK]

—*Cuidado con el viento, que se te lleva, **tirillas**.* • *Watch out for the wind. It'll blow you away, you lanky streak of piss.*

tirón (del) *adv.*
IN ONE GO

—*Ayer me tragué **del tirón** la trilogía de "El señor de los anillos".* • *Yesterday, I watched the whole "Lord of the Rings" trilogy in one go.*

YOU CAN ALSO SAY DE UN TIRÓN

tocha *n.*
SCHNOZ [USA], SNIFFER, HOOTER, BEAK [UK]

—*¿Qué tal la novia de Pepe?* // *Está bastante buena pero tiene una **tocha** enorme.* • *What do you make of Pepe's girlfriend?* // *She's really fit but she's got a massive hooter on her.*

tragar *v.*
1 ¡tierra, trágame! *interj.*
TO WISH THE EARTH WOULD SWALLOW ONE UP *expr.*

—*Cuando me encontré a mi ex pensé: "¡Tierra, trágame!"* • *When I bumped into my ex, I wished the Earth would just swallow me up right then and there.*

2 tragarse a alguien la Tierra *expr.*

TO DROP OFF THE FACE OF THE EARTH

—*Llevo siglos sin verlo, es como si* ***se lo hubiese tragado la Tierra.*** • *I haven't seen him in ages. It's almost like he dropped off the face of the Earth.*

tranca *n.*

DICK

—*Nacho Vidal tiene un pedazo* ***tranca*** *que no veas.* • *Nacho Vidal's got a huge-ass dick.*

trancas (hasta las) *expr.*

SUPER, TOTALLY

—*Él casado y yo casada, pero estamos enamorados* ***hasta las trancas.*** • *He's married and so am I, but we're totally in love.*

This expression is normally used in contexts of love.

trancazo *n.*

COLD, FLU

—*Pasé la noche a la intemperie y acabé pillando un* ***trancazo*** *de tres pares de narices.* • *I spent the night outside and ended up catching a heck of a cold.*

tranquis (de) *expr.*

This expression simply means that the speaker is doing something calmly, in a relaxed manner, without much fuss. A similar expression is **con la calma**.

—*Siempre digo que saldré* ***de tranquis*** *y luego acabo volviendo a casa a las mil.* • *I always say I'm going to go for a bit, but then I end up coming home in the wee hours of the morning.*

trapichear *v.*

1 TO DEAL (DRUGS)

—*Con la condicional es mejor que no* ***trapichees*** *si no quieres volver al trullo.* • *You'd better not deal drugs on parole if you don't want to wind up back in the slammer.*

2 trapicheo *n.*

SCHEME, DEAL

—*Tengo un* ***trapicheo*** *con el de la tienda de la esquina: me vende el alcohol a precio de fábrica.* • *I've got a deal with the store on the corner; they sell me alcohol at wholesale rates.*

YOU CAN ALSO SHORTEN THIS TO TRAPI

trepa *n.*

CREEP, CLIMBER

This word comes from the verb **trepar** (to climb) and describes someone who wants to improve his/her social standing or corporate position and is not afraid to use people to achieve that goal.

—*Cuidado con ese tío, es un poco* **trepa**. *Nunca sabes si su amistad es sincera.* • *Be careful with that guy. He's a social climber and you never know if his friendship is real.*

trina (estar que) *expr.*

TO BE UP IN ARMS, TO BE
FUMING, TO BE HOPPING MAD

—*Juan* **está que trina** *desde que salgo tanto con mis amigas.* • *Juan is up in arms ever since I started going out so often with my girlfriends.*

trincar *v.*

1 TO NAB

—**Han trincado** *a tres tíos que introducían hachís en el país.* • *They nabbed three guys that were bringing hash into the country.*

2 TO REEL IN, TO BRING IN

—*Si* **trincamos** *a ese cliente, te invito a cenar, porque nos vamos a forrar.* • *If we reel in this client, I'm going to take you out for dinner, 'cause we're gonna make it big.*

3 trincarse *v. prnl.*

a TO GET IT ON WITH

—*Ya no sabe qué hacer para* **trincarse** *a su compañera de piso.* • *He doesn't know what else to do to get it on with his flatmate.*

b TO GUZZLE, TO DRINK

—*Entre los dos* **nos trincamos** *una botella de vino.* • *Between the two of us, we guzzled down a whole bottle of wine.*

tris (en un) *expr.*

1 IN A FLASH

—*Si te esperas un momentito, te preparo la comida* **en un tris.** • *If you hold on a sec, I'll make you dinner in a flash.*

2 estar a un tris de *expr.*

TO BE ON THE VERGE OF,
TO BE JUST ABOUT TO

—**Estoy a un tris** *de pillarme un Toyota Yaris.* • *I'm on the verge of scoring myself a Toyota Yaris.*

troncharse *v. prnl.*

TO BE (ROLLING) ON THE
FLOOR, TO BE IN STITCHES

—*Yo es que con tu novia* **me troncho**. • *Your girlfriend always has me rolling on the floor.*

tropecientos/as *adv.*

A ZILLION, TONS

—*En esa tienda encontrarás* **tropecientos** *modelos diferentes.* • *In that store, you'll find a zillion different models.*

tute (darse un buen) *expr.*

TO WORK ONE'S ASS OFF,
TO SLOG ONE'S GUTS OUT

—*Ayer* **nos dimos un buen tute**: *primero corrimos 10 km y luego 30 piscinas.* • *We worked our asses off yesterday. First, we ran 10 km. Then 30 laps in the swimming-pool.*

ÚLTIMAMENTE RECIBO UNA DE SPAM QUE FLIPAS • RECENTLY, I'VE BEEN GETTING TONS AND TONS OF SPAM

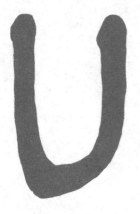

último mono _expr._
LOW MAN ON THE TOTEM
POLE, A NOBODY

—_A mi nadie me avisa de nada.
Soy el **último mono**._ • _No one
tells me anything. I'm the low man
on the totem pole._

untar _v._
TO BUY OFF

—_Dicen que ese poli se deja
untar._ • _They say you can buy
that cop off._

una de _expr._
TONS, OODLES, A HUMUNGOUS
AMOUNT, A SHEDLOAD [UK]

—_Últimamente recibo **una de** spam
que flipas._ • _Recently, I've been
getting tons and tons of spam._

uni _n., abbrev._
UNI, COLLEGE

—_Cada dos o tres meses hacemos
una cena con las compañeras de la
uni._ • _Every two or three months,
we have a dinner with our class-
mates from uni._

uva _n._
1 dar las uvas _expr._

In Spain, the tradition on New
Year's Eve is to eat twelve grapes
when the clock strikes midnight.
So, when you do something that
keeps going and going, they
"give you the grapes" as a way
of saying that a year has come
and gone.

—_Estábamos tan a gusto que nos
dieron las uvas en aquel bar._
• _We felt so good in that bar that
we ended up spending a long, long
time there._

2 tener mala uva _expr._
TO BE CRANKY, TO BE PISSY

—_Eufemiano **tiene** muy **mala
uva**. Grita por nada._ • _Eufemi-
ano's really cranky and yells for
nothing at all._

vaca *n.*

HEIFER, COW

—*Te has puesto como una **vaca** en las vacaciones. // ¿Y tú qué? ¿Pero tú te has visto?* • *You got fat as a heifer on holiday. // And who are you to talk? Looked in a mirror lately?*

vacas *abbrev.* (vacaciones)

VACATION, HOLIDAY

—*¿Adónde vas de **vacas**?* • *Where are you going on vacation?*

vegetar *v.*

TO VEG OUT

—*Los domingos me encanta **vegetar** en el sofá, pero mi churri siempre quiere hacer cosas.* • *I love vegging out on the couch on Sundays, but my girlfriend always wants to do stuff.*

verde (más raro que un perro) *expr.*

ODDBALL, WEIRDO, ODD DUCK [USA], QUEER FISH [UK]

—*Pedro se ha ido de vacaciones a Somalia. // Es **más raro que un perro verde**.* • *Pedro has gone to Somalia on holiday. // He's such a weirdo.*

viaje (meter un) *expr.*

TO SMACK, TO WHACK

—*Pepe le **metió un viaje** al delantero.* • *Pepe smacked the centre forward.*

viejuno/a *n.*

OLD FART, OLDIE, CODGER

—*Estamos ya **viejunos**: el planazo es pizza y peli.* • *We're old farts already: the plan is pizza and a movie.*

vino (ni harto de) *expr.*

NO WAY (IN HELL)

—*Con lo mal que pagan, yo no aceptaría ese curro **ni harto de vino**.* • *With the low wages they're paying, there's no way In hell I'd accept that job.*

THE CORRECT PRONUNCIATION IS NI JARTO VINO

zampabollos *n.*

BIG EATER, PIG, GLUTTON

—*Si está gordo es porque es un **zampabollos** del quince.* • *If he's fat, it's because he's an out-and-out pig.*

zapas *n. pl.*

KICKS, SNEAKERS

—*Se compró unas **zapas** de puta madre y colgó la foto en el Facebook para que flipáramos.* • *He bought some badass kicks and put a pic up on Facebook so we'd all be like "wow".*

zorrón *n.*

TRAMP [USA], SKANK, SLAG, SLUT, SLAPPER

—*Menudo **zorrón** estás hecha, ¡mira que enrollarte con mi mejor amigo!* • *You're such a tramp. I'm*

mean, you got it on with my best friend!

zorros (hecho/a unos) *expr.*

1 IN SHAMBLES, IN A MESS

—*No vengas ahora a casa, la tengo **hecha unos zorros**.* • *Don't come to my place now. The house is in shambles.*

2 WHIPPED, BEAT, BE DONE IN

—*Estoy **hecha unos zorros** del fiestón que nos pegamos ayer.* • *I'm absolutely beat from all the partying we did yesterday.*

zulo *n.*

CRAMPED SPACE, CUBBYHOLE

Originally, a **zulo** was a secret hole in the ground used by terrorists to stash weapons or hide kidnapping victims. It is now used more generally to refer to any small, cramped space.

—*Invitadme a comer algún día, estoy siempre encerrada en el **zulo** trabajando.* • *Invite me out to eat some day. I'm stuck working in my cramped, little cubicle.*

zuri (darse el) *expr.*

TO BE OUT OF HERE, TO JET, TO SCOOT, TO BEAT IT, TO SHOOT OFF

—*Yo me **doy el zuri**, esta fiesta es un tostón.* • *I'm out of here. This party's a drag.*